ÓSCAR WILDE

EL GIGANTE EGOÍSTA Y OTROS CUENTOS

EDITORIAL ANDRÉS BELLO
Barcelona • Buenos Aires • México D.F. • Santiago de Chile

Primera edición, 1980
Primera reimpresión, 1980
Décimo segunda reimpresión, 2006

© Editorial Andrés Bello
Carmen 8, 4° piso, Santiago de Chile
www.editorialandresbello.com
www.editorialandresbello.cl
info@editorialandresbello.cl

Editorial Andrés Bello Argentina S.A.
Gorriti 4142 (1172) Buenos Aires
andresbello@andresbelloar.com

Traducción: José A. Fernández

Ilustraciones: Thomas Gerber
Ilustración de portada: Antonio Castell Rey

Inscripción N° 97217, año 1996

Esta décimo segunda reimpresión se terminó de imprimir
en el mes de agosto de 2006.

Impresores: Artes Gráficas Delsur

Impreso en Argentina /Printed in Argentina

ISBN 956-13-1081-3

EL GIGANTE EGOÍSTA

Todas las tardes, al volver del colegio, tenían los niños la costumbre de ir a jugar al jardín del gigante.

Era un amplio y hermoso jardín, con un suave y verde césped. Brillaban aquí y allí lindas flores entre la hierba, como estrellas, y había doce melocotoneros que, en primavera, se cubrían con una delicada floración blanquirrosada y que, en otoño, daban hermosos frutos. Los pájaros posados sobre los árboles cantaban tan hechiceramente, que los niños interrumpían habitualmente sus juegos para escucharlos.

—¡Qué dichosos somos aquí! —se gritaban unos a otros.

Un día volvió el gigante. Había ido a visitar a su amigo el ogro de Cornualles, y vivido siete años con él. Al cabo de los siete años dijo todo lo que tenía que decir, pues su conversación era limitada, y decidió regresar a su castillo. Al llegar vio a los niños jugando en su jardín.

—¿Qué hacéis aquí? —les gritó con voz agria. Y los niños huyeron, corriendo—. Mi jardín es mi jardín —dijo el gigante—. Todos deben entenderlo así, y no permitiré que nadie más que yo juegue con él.

Lo cercó entonces con un alto muro y puso este cartel:

> PROHIBIDA LA ENTRADA
> *Se procederá judicialmente*
> *contra los transgresores.*

Era un gigante muy egoísta.

Los pobres niños no tenían ahora sitio donde jugar.

Intentaron hacerlo en la carretera, pero la carretera estaba muy polvorienta, toda llena de agudas piedras, y no les gustó.

Tomaron la costumbre de pasearse, una vez terminadas sus lecciones, alrededor del alto muro, para hablar del hermoso jardín que había al otro lado.

—¡Qué felices éramos ahí! —se decían unos a otros.

Entonces llegó la primavera, y en todo el país hubo pajaritos y florecillas.

Sólo en el jardín del gigante egoísta continuaba siendo invierno.

Los pájaros, desde que no había niños, no tenían interés en cantar, y los árboles olvidábanse de florecer.

En cierta ocasión una bonita flor levantó su cabeza sobre el césped, pero al ver el cartelón se entristeció tanto pensando en los niños, que se dejó caer de nuevo en tierra, volviéndose a dormir.

Los únicos que se alegraron fueron el Hielo y la Nieve.

"La primavera se ha olvidado de este jardín —exclamaban—; gracias a esto viviremos en él todo el año." La Nieve extendió su gran manto blanco sobre el césped, y el Hielo pintó de plata todos los árboles. Entonces invitaron al Viento del Norte a que viniese a pasar una temporada con ellos, y él vino.

Estaba envuelto en pieles, y bramaba durante todo el día por el jardín, derribando chimeneas.

—Este es un sitio delicioso —decía—. Diremos al Granizo que nos haga una visita.

Y llegó el Granizo. Todos los días, durante tres horas, tocaba el tambor sobre la techumbre del castillo hasta que rompió muchas pizarras, y entonces se puso a dar vueltas alrededor del jardín, corriendo lo más de prisa que pudo. Iba vestido de gris y su aliento era como hielo.

—No comprendo por qué la primavera tarda tanto en llegar —decía el gigante egoísta cuando se asomaba a la ventana y veía su jardín blanco y frío—. ¡Espero que cambie el tiempo!

Pero la primavera no llegaba nunca, ni el verano tampoco.

El otoño trajo frutos dorados a todos los jardines; pero no dio ninguno al del gigante.

—Es demasiado egoísta —dijo.

Y era siempre invierno en casa del gigante, y el Viento del Norte, el Granizo, el

Hielo y la Nieve danzaban en medio de los árboles.

Una mañana, el gigante, acostado en su lecho, pero despierto ya, oyó una música deliciosa. Sonaba tan dulcemente en sus oídos, que le hizo imaginarse que el rey de los músicos pasaba por allí. En realidad, era un jilguero que cantaba ante su ventana, pero como no había oído a un pájaro en su jardín hacía tanto tiempo, le pareció la música más bella del mundo. Entonces el Granizo dejó de bailar sobre su cabeza, y el Viento del Norte de rugir, y un perfume delicioso llegó hasta él por la ventana abierta.

—Creo que ha llegado, al fin, la primavera —dijo el gigante; y saltando del lecho, se asomó y miró afuera. ¿Qué fue lo que vio?

Vio un espectáculo maravilloso. Por una brecha abierta en el muro los niños habíanse deslizado en el jardín, encaramán-

dose a los árboles. Sobre todos los árboles que alcanzaba él a ver había un niñito. Y los árboles sentíanse tan dichosos de sostener nuevamente a los niños, que se habían cubierto de flores, y agitaban graciosamente sus brazos sobre las cabezas infantiles. Los pájaros revoloteaban de unos para otros, cantando con delicia, y las flores reían irguiendo sus cabezas sobre el césped. Era un bello cuadro; sólo en un rincón seguía siendo invierno. Era el rincón más apartado del jardín, y allí se encontraba un niño muy pequeño. Tan pequeño era, que no había podido llegar a las ramas del árbol, y daba vueltas a su alrededor llorando amargamente. El pobre árbol estaba aún cubierto por completo de hielo y de nieve, y el Viento del Norte soplaba y rugía por encima de él.

—¡Sube, pequeño! —decía el árbol, y le tendía sus ramas, inclinándolas todo cuanto podía; pero el niño era demasiado pequeño. El corazón del gigante se enterneció al mirar hacia afuera.

"¡Qué egoísta he sido! —se dijo—. Ya sé por qué la primavera no ha querido venir aquí. Voy a colocar a ese pobre pequeñuelo sobre la copa del árbol y luego derribaré el muro, y mi jardín será ya siempre el sitio de recreo de los niños."

Estaba verdaderamente arrepentido de lo que había hecho.

Bajó las escaleras, abrió nuevamente la puerta con toda suavidad, y entró en el jardín.

Pero cuando los niños le vieron se quedaron tan aterrorizados que huyeron, y el jardín se quedó otra vez como en invierno.

Únicamente el niño pequeñito no había huido, porque sus ojos estaban tan llenos de lágrimas, que no vio venir al gigante.

Y el gigante se deslizó por su espalda, lo cogió cariñosamente con sus manos y lo depositó sobre el árbol. Y el árbol inmediatamente floreció; los pájaros vinieron a posarse y a cantar sobre él, y el niñito extendió sus brazos, rodeó con ellos el cuello del gigante y lo besó. Y los otros niños, viendo que ya no era malo el gigante, se acercaron corriendo, y la primavera volvió con ellos.

—Desde ahora éste es vuestro jardín, pequeñuelos —dijo el gigante, y, cogiendo un hacha muy grande, echó abajo el muro.

Y cuando la gente pasó al mediodía hacia el mercado, vio al gigante jugando con los niños en el jardín más hermoso que habían visto nunca.

Estuvieron jugando durante todo el día, y al caer la noche fueron a decir adiós al gigante.

—Pero..., ¿dónde está vuestro compañerito —les preguntó—, ese chiquillo que subí al árbol?

A él era a quien quería más el gigante, porque le había besado.

—No sabemos —respondieron los niños—; se ha ido.

—Decidle que venga mañana sin falta —repuso el gigante.

Pero los niños contestaron que no sabían dónde vivía y que no le habían visto nunca hasta entonces, y el gigante se quedó muy triste. Todas las tardes, a la salida del colegio, venían los niños a jugar con el gigante. Pero ya no se volvió a ver al pequeñuelo a quien quería tanto. El gigante era muy bondadoso con todos los niños, pero echaba de menos a su primer amiguito y hablaba de él con frecuencia.

—¡Cuánto me gustaría verle...! —solía decir.

Pasaron los años, y el gigante enveje-
ció mucho y fue debilitándose. Ya no podía tomar parte en los juegos; permanecía
sentado en un gran sillón viendo jugar a
los niños y admirando su jardín.

—Tengo muchas flores bellas —decía—;
pero los niños son las flores más bellas de
todas.

Una mañana de invierno, mientras se
vestía, miró por la ventana. Ya no detesta-
ba el invierno; sabía que no es sino la
primavera adormecida y el reposo de las
flores. De pronto se frotó los ojos atónito
y miró y miró. Realmente era una visión
maravillosa. En el rincón más apartado del
jardín había un árbol completamente cubierto con flores blancas. Sus ramas eran
todas doradas, y colgaban de ellas frutos
de plata, y debajo estaba, en pie, el pequeñuelo, a quien quiso tanto.

El gigante se precipitó por las escaleras con gran alegría, y entró en el jardín. Corrió por el césped y se acercó al niño. Y cuando estuvo junto a él, su cara enrojeció de cólera y exclamó:

—¿Quién se ha atrevido a herirte?

Pues en las palmas de las manos del niño y en sus piececitos veíanse las señales de dos clavos.

—¿Quién se ha atrevido a herirte? —gritó el gigante—. Dímelo. Iré a coger mi gran espada y lo mataré.

—No —respondió el niño—; éstas son las heridas del Amor.

—¿Quién eres? —dijo el gigante, y un extraño temor le invadió, haciéndole caer de rodillas ante el pequeñuelo.

Y el niño sonrió al gigante y le dijo:

—Me dejaste jugar una vez en tu jardín; hoy vendrás conmigo a mi jardín, que es el Paraíso.

Y cuando llegaron los niños aquella tarde, encontraron al gigante tendido, muerto, bajo el árbol, todo cubierto de flores blancas.

EL FANTASMA DE CANTERVILLE
(Narración hilo-idealista)

I

Cuando míster Hiram B. Otis, el ministro de los Estados Unidos, adquirió el castillo de Canterville, todo el mundo le dijo que cometía una necedad, porque aquella finca estaba embrujada. Incluso el propio lord Canterville, caballero de la más escrupulosa honradez, se creyó en el deber de advertírselo a míster Otis cuando trataron de las condiciones.

—Nosotros mismos —dijo lord Canterville— nos hemos resistido en absoluto a vivir allí desde la época en que mi tíaabuela, la duquesa viuda de Bolton, contrajo una dolencia, de la que no se repuso nunca del todo, causada por el espanto que experimentó al sentir que dos manos de esqueleto se posaban sobre sus hombros cuando se vestía para la cena. Creo de mi deber decirle, míster Otis, que el fantasma ha sido visto por varios miembros de mi familia, que viven aún, así como por el párroco del pueblo, el reverendo padre Augusto Dampier, *fellow* o agregado del King's College, de Cambridge. Después del deplorable accidente ocurrido a la duquesa, ninguno de los sirvientes quiso seguir en nuestra casa, y lady Canterville no pudo ya conciliar el sueño a causa de los ruidos misteriosos que sonaban en la galería y en la biblioteca.

—Milord —contestó el ministro—, adquiriré el inmueble con el fantasma por el mismo precio. Vengo de un país moderno en el que podemos tener todo cuanto puede proporcionar el dinero, y como nuestros jóvenes son muy avispados y recorren divirtiéndose todo el viejo continente, quitándoles a ustedes sus mejores actrices y *primas donnas,* estoy seguro de que si queda todavía un auténtico fantasma en Europa, vendrán a buscarlo para colocarlo en uno de nuestros museos públicos o para exhibirlo como un fenómeno de feria.

—Me temo que el fantasma existe —dijo lord Canterville, sonriendo—, aunque se haya resistido hasta hoy a las ofertas de los decididos empresarios yanquis. Hace más de tres siglos que se le conoce; data con precisión de 1584, y no deja de aparecer nunca cuando va a ocurrir alguna defunción en la familia.

—¡Bah! Los médicos de cabecera hacen lo mismo, lord Canterville. Amigo mío, los fantasmas no existen ni creo que las leyes de la naturaleza admitan excepciones, en favor de la aristocracia inglesa.

—Realmente son ustedes apasionados por la naturalidad —replicó lord Canterville, que no acababa de comprender la última observación de míster Otis—. Ahora bien: si le gusta a usted tener un fantasma en casa, mejor que mejor; acuérdese únicamente de que yo le previne.

Unas semanas después se cerró el trato, y al terminar la *season* el ministro y su familia se trasladaron al castillo de Canterville. Mistress Otis, de soltera miss Lucrecia R. Tappan (de la calle West 53), había sido una célebre beldad de Nueva York y era todavía una mujer guapísima, de edad madura, con unos ojos hermosos y un perfil soberbio. Muchas damas americanas, cuando abandonan su país natal, adoptan aires de persona atacada de una enfermedad crónica y se figuran que éste es uno de los sellos de distinción en Europa; pero mistress Otis no incurrió nunca en semejante error. Tenía una naturaleza magnífica y una extraordinaria vitalidad; en realidad, era completamente inglesa, bajo muchos aspectos, y hubiese podido citársela en buena lid para mantener la tesis de que hoy día tenemos todo en común con América, excepto el idioma, naturalmente.

Su hijo mayor, bautizado con el nombre de Washington por sus padres en un acceso de patriotismo, que él no cesaba de lamentar, era un muchacho rubio, de bastante buen tipo, que se había erigido en candidato a la diplomacia, dirigiendo el cotillón en el casino de Newport durante tres temporadas seguidas, y aun en Londres tenía fama de ser un bailarín excepcional. Sus únicas debilidades eran las gardenias y la nobleza; aparte de esto era perfectamente sensato.

Miss Virginia E. Otis era una muchachita de quince años, esbelta y graciosa como un corzo, con un dulce aire de ingenuidad en sus grandes ojos azules. Era una amazona maravillosa, y montando su jaca derrotó una vez, galopando, al viejo lord Bilton, dando dos veces la vuelta al parque y ganándole por un cuerpo y medio, precisamente frente a la estatua de Aquiles, lo cual provocó tan delirante entusiasmo en el joven duque de Cheshire, que le propuso acto seguido el matrimonio y sus tutores tuvieron que expedirle aquella misma noche a Eton, bañado en lágrimas.

Después de Virginia venían los dos gemelos, conocidos de ordinario con el sobrenombre de *Estrellas y Barras,* porque siempre se los veía ostentándolas. Eran dos chicos encantadores y, con el ministro, los únicos verdaderos republicanos de la familia.

Como el castillo de Canterville está a siete millas de Ascot, la estación más próxima, míster Otis telegrafió que salieran a buscarlos en un coche abierto, y emprendieron la marcha en medio de la mayor alegría. Era una noche deliciosa de julio y el aire estaba aromado de olor a pinos. De cuando en cuando oíase a las palomas arrullándose con su más dulce voz o divisábase entre la maraña rumorosa de los helechos la pechuga de oro bruñido de algún faisán. Ágiles ardillas los espiaban desde la copa de las hayas, a su paso, y los conejos corrían como exhalaciones a través de los matorrales o por los collados herbosos, tiesos sus rabos blancos. Sin embargo, no bien embocaron la avenida del castillo de Canterville, el cielo se encapotó repentinamente; un extraño silencio pareció invadir la atmósfera; una gran bandada de cornejas cruzó silenciosamente por en-

cima de sus cabezas y, antes de que llega-
sen al castillo, ya habían caído algunas
gruesas gotas.

En la escalinata hallábase para recibir-
los una anciana pulcramente vestida de
seda negra, con cofia y delantal blancos.
Era la señora Umney, el ama de llaves,
que mistress Otis, ante los vivos requeri-
mientos de lady Canterville, había accedi-
do a conservar en su puesto. Hizo una
profunda reverencia a la familia a medida
que se acercaba, y dijo con la singular
cortesía de los buenos tiempos antiguos:

—Doy la bienvenida a los señores al
llegar al castillo de Canterville.

La siguieron, cruzaron un hermoso vestíbulo de estilo Tudor, hasta la biblioteca,
largo y espacioso salón, con un amplio
ventanal acristalado, al fondo. Estaba preparado el té, y una vez que se quitaron
los abrigos de viaje, sentáronse todos, cu-

rioseando en torno suyo, mientras la señora Umney iba de un lado para otro sirviéndolos.

De pronto la mirada de mistress Otis cayó sobre una mancha de color rojo oscuro que había sobre el suelo, precisamente al lado de la chimenea, y sin fijarse en lo que significaba, dijo a la señora Umney:

—Veo que se ha vertido algo en ese sitio.

—Sí, señora —contestó aquélla en voz baja—, se ha vertido sangre...

—¡Es espantoso! —exclamó mistress Otis—. No me gustan las manchas de sangre en un salón. Es preciso limpiar eso inmediatamente.

La anciana sonrió y, con la misma voz baja y misteriosa, añadió:

—Es sangre de lady Leonor de Canterville, que fue asesinada en ese mismo sitio por su propio marido, sir Simon de Canterville, en 1575. Sir Simon la sobrevivió nueve años, desapareciendo repentinamente en circunstancias muy misteriosas. Su cuerpo no se encontró nunca, pero su alma en pena sigue embrujando el castillo. La mancha de sangre ha sido muy admirada por los turistas y otras personas, pero es imposible hacerla desaparecer.

—¡Tonterías! —exclamó Washington Otis—. El producto quitamanchas marca *Campeón,* de la casa Pinkerton, hará desaparecer eso en un periquete.

Y antes de que el ama de llaves, aterrada, pudiese intervenir, se había arrodillado ya y frotaba vivamente el entarimado con una barrita de una sustancia parecida al cosmético negro. A los pocos instantes la mancha había desaparecido sin dejar rastro.

—¡Ya sabía yo que el *Campeón* la borraría! —exclamó en tono triunfal, paseando una mirada circular sobre su familia llena de admiración. Pero apenas había pronunciado aquellas palabras, un relámpago formidable iluminó la estancia sombría, y el retumbar del trueno levantó a todos, menos a la señora Umney, que se desmayó.

—¡Qué clima más espantoso! —dijo tranquilamente el ministro, encendiendo un largo veguero—. Creo que el país de nuestros abuelos está tan poblado, que no hay buen tiempo suficiente para todos. Siempre opiné que lo mejor que pueden hacer los ingleses es emigrar.

—Querido Hiram —replicó mistress Otis—. ¿Qué podemos hacer con una mujer que se desmaya?

—Se lo descontaremos de su salario —dijo el ministro—. Verás como no vuelve a desmayarse.

Y, en efecto, la señora Umney volvió en sí a los pocos minutos. Sin embargo, veíase que estaba hondamente conmovida, y con voz solemne advirtió a mistress Otis que debía esperarse alguna desdicha en el castillo.

—Señor, he visto con mis propios ojos cosas que pondrían los pelos de punta a cualquier cristiano, y durante noches y noches no he podido pegar los ojos a causa de los hechos terribles que aquí ocurren.

A pesar de lo cual, míster Otis y su esposa aseguraron firmemente a la buena mujer que no tenían miedo ninguno a los fantasmas, y la vieja ama de llaves, después de haber impetrado la bendición de la Providencia sobre sus nuevos amos, y de hacer insinuaciones para un próximo aumento de salario, se retiró a sus habitaciones renqueando.

II

La tormenta se desencadenó durante toda la noche, pero no sucedió nada extraordi-

nario. A la mañana siguiente, cuando bajaron a desayunarse, encontraron de nuevo la terrible mancha sobre el entarimado.

—No creo que tenga la culpa el quitamanchas sin rival —dijo Washington—, pues lo he ensayado sobre toda clase de manchas. Debe de ser cosa del fantasma.

En consecuencia, volvió a borrar la mancha, después de frotar un poco. Y a la mañana siguiente había reaparecido, a pesar de que la biblioteca quedó cerrada la noche anterior, llevándose la llave a su cuarto mistress Otis. Desde entonces la familia toda empezó a interesarse por aquello. Míster Otis se hallaba a punto de creer que había estado demasiado dogmático negando la existencia de los fantasmas; mistress Otis apuntó su propósito de afiliarse a la Sociedad Psíquica, y Washington redactó una larga carta a los señores Myers y Podmore, basada en la persistencia de las manchas de sangre procedentes de un crimen. Aquella noche disipó todas las dudas sobre la existencia objetiva de los fantasmas.

El día había sido de verdadero bochorno y la familia aprovechó la frescura de la tarde para dar un paseo en coche. Regresaron a las nueve, tomando una ligera cena. La conversación no recayó ni por un momento sobre los fantasmas; de manera que faltaban las condiciones más elementales de espera y de receptividad que preceden tan a menudo a los fenómenos psíquicos. Los asuntos que discutieron, por lo que me dijo después míster Otis, fueron simplemente los habituales en la conversación de los americanos cultos que pertenecen a la clase elevada, como, por ejemplo, la inmensa superioridad como actriz de miss Janny Davenport sobre Sara Bernhardt; la dificultad de encontrar maíz verde, galletas de trigo sarraceno y polenta, aun en las mejores casas inglesas; la importancia de Boston en el desenvolvimiento del alma universal; las ventajas del sistema americano de facturación de equipajes de los viajeros y la dulzura del acento neoyorquino, comparado con el horrible dejo de Londres. No se trató para nada de lo sobrenatural ni se hizo la menor alusión indirecta a sir Simon de Canterville. A las once la familia se retiró a sus cuartos y a las once y media estaban apagadas todas las luces. Poco después despertó a míster Otis un ruido singular en el corredor; parecía como si arrastrasen unos hierros viejos, y se acercaba cada vez más. Se levantó en el acto; encendió la luz y miró la hora; era la una en punto. Míster Otis estaba perfectamente tranquilo; se tomó el pulso y no lo encontró nada alterado. El extraño ruido continuaba al mismo tiempo que se oían claramente unas pisadas. Se puso las zapatillas, cogió un frasquito alargado de su tocador y abrió la puerta.

Y vio frente a él, a los pálidos rayos de la luna, a un anciano de aspecto aterrador. Sus ojos parecían dos carbones encendidos; una larga cabellera gris caía en mechones revueltos sobre sus hombros; sus ropas de corte anticuado eran harapientas y sucias, y de sus muñecas y tobillos colgaban unas pesadas cadenas y unos grilletes mohosos.

—Mi distinguido señor —dijo míster Otis—, permítame que le ruegue encarecidamente que se engrase esas cadenas; le traigo para ello un frasco de lubricante *Sol Naciente*. Dicen que una sola untura es eficacísima, y en la etiqueta aparecen varios certificados de nuestros más ilustres teólogos testimoniándolo. Voy a dejárselo aquí junto a los candelabros, y tendré un sincero gusto en proporcionarle más, si lo necesitase.

Dicho esto, el ministro de los Estados Unidos dejó el frasquito sobre un velador de mármol, cerró la puerta y se volvió a meter en la cama.

El fantasma de Canterville permaneció unos minutos petrificado de indignación; después tiró lleno de rabia el frasco contra el suelo y huyó por el corredor, lanzando gemidos cavernosos y despidiendo una tétrica luz verde. Pero cuando llegaba al rellano de la gran escalera de roble, se abrió de repente una puerta y aparecieron dos figuras infantiles vestidas de blanco, ¡y una gruesa almohada pasó disparada rozando su cabeza! Evidentemente, no había tiempo que perder; utilizando, pues, con rapidez como medio de fuga la cuarta dimensión del espacio, se desvaneció a través de la pared, y la casa volvió a quedar en tranquilo silencio.

Llegado a un pequeño aposento secreto del ala izquierda del castillo, se recostó sobre un rayo de luna para tomar aliento y se puso a meditar sobre su situación. Jamás en toda su brillante y dilatada carrera, que duraba ya trescientos años seguidos, había sido insultado tan groseramente. Vino a su memoria la duquesa viuda, a la que hizo desmayarse aterrada cuando se estaba mirando al espejo en su tocador, cubierta de brillantes y encajes; recordó a las cuatro doncellas en quienes había provocado un ataque de locura con convulsiones histéricas, sólo haciéndoles visajes entre las cortinas de uno de los cuartos para invitados; el párroco del pueblo, cuya vela apagó de un soplo, cuando volvía aquél de la biblioteca, a hora avanzada, y que desde entonces fue mártir de toda clase de desequilibrios nerviosos, que sir William Gull tuvo que cuidar, y a la vieja madame de Tremouillac, quien, al despertarse al amanecer, le vio sentado en un sillón de su alcoba, al lado de la chimenea, sólo en esqueleto, repasando su *Diario,* y que, de resultas de aquella impresión, tuvo que guardar cama durante seis semanas, con una fiebre cerebral. Y ya curada se reconcilió con la Iglesia y rompió toda clase de relaciones con el conocido escéptico monsieur de Voltaire. Recordó igualmente la noche terrible en que encontraron al bribón de lord Canterville medio estrangulado en su cuarto, con una sota de espadas embutida en la garganta y que se vio obligado a confesar, antes de morir, que por medio de aquel naipe había estafado la suma de cincuenta mil libras a Charles James Fox, en casa de Crookford, jurando que aquella carta se la hizo tragar el fantasma.

Todas sus grandiosas hazañas volvían a su memoria. Vio desfilar al mayordomo que se levantó la tapa de los sesos por haber divisado una mano verde tamborilear en los cristales de la ventana, y a la bella lady Stuffield, a la que condenó a llevar una cinta de terciopelo negro alrededor del cuello para tapar la señal de cinco dedos, marcados como con hierro candente sobre su blanca piel, y que terminó por ahogarse en el vivero de carpas que había al final de la Avenida Real.

Y, con el entusiasmoególatra del verdadero artista, pasó revista a sus más famosas apariciones; tuvo una amarga sonrisa para sí mismo al evocar su última salida en el papel de Rubén el Rojo o el Niño estrangulado, su debut en el de Gibeón el Flaco o el Vampiro del páramo de Bexley, y el éxito que logró un anochecer encantador de junio, sólo con jugar a los bolos con sus propios huesos en el campo de tenis. Y todo esto, ¿para qué? ¡Para que unos odiosos americanos le ofreciesen el lubricante marca *Sol Naciente* y le tirasen almohadas a la cabeza! Era realmente intolerable. Además, la historia enseñaba que jamás fue tratado ningún fantasma con semejante grosería.

Tomó, pues, la resolución de vengarse, y permaneció allí hasta el amanecer en actitud de profunda meditación.

III

A la mañana siguiente, cuando la familia Otis se reunió a desayunar, discutieron extensamente sobre el fantasma. El ministro de los Estados Unidos estaba, naturalmente, un poco resentido, viendo que el fantasma no había aceptado su cortés ofrecimiento.

—No quisiera en modo alguno ofender personalmente al fantasma —afirmó—, y reconozco que, dada su larga estancia en esta mansión, no era nada correcto tirarle almohadas a la cabeza...

Lamento tener que decir que esta observación tan justa provocó una explosión de risas en los gemelos.

—Pero, por otro lado —prosiguió míster Otis—, si sigue empeñado en no emplear el lubricante marca *Sol Naciente,* nos veremos en la necesidad de quitarle sus cadenas. No sería posible dormir con semejante ruido.

Pero no fueron molestados en toda aquella semana. Lo único que los sorprendió fue la reaparición continua de la mancha de sangre sobre el entarimado de la biblioteca. Era realmente muy raro, tanto más cuanto que mistress Otis cerraba la puerta con llave por la noche y atrancaba las ventanas. Los cambios de color que sufría la mancha, comparables a los de un camaleón, produjeron también frecuentes comentarios. Unas mañanas aparecía de un rojo oscuro, casi morado; otras, bermellón; era después de un púrpura espléndido, y un día, cuando bajaron a rezar conforme a los ritos sencillos de la libre Iglesia Episcopal Reformada e Independiente de América, la encontraron de un refulgente verde esmeralda. Estos cambios caleidoscópicos divirtieron mucho a la familia, y cruzábanse apuestas entre ellos todas las noches. La única que no tomó parte en la broma fue la dulce y juvenil Virginia, quien, por razones ignoradas, sentíase siempre entristecida viendo la mancha de sangre e incluso estuvo a punto de llorar la mañana en que apareció verde esmeralda.

El fantasma hizo su segunda presentación un domingo por la noche.

Llevaban todos un rato acostados, cuando los alarmó un terrible estrépito que se oyó en el vestíbulo. Bajaron apresuradamente y se encontraron con que una armadura completa se había desprendido de su soporte, cayendo sobre las losas; al lado, sentado en su sillón, el fantasma de Canterville se restregaba la rodilla con un gesto de dolor agudo. Los gemelos, que se habían provisto de sus cerbatanas, le dispararon inmediatamente dos huesos con esa seguridad de puntería que sólo se adquiere merced a un largo y paciente entrenamiento sobre el profesor, desde los pupitres del colegio.

Entretanto, el ministro de los Estados Unidos mantenía al fantasma bajo la amenaza de su revólver, y, conforme al sistema californiano, le invitaba al "¡manos arriba!"

El fantasma se levantó bruscamente lanzando un grito de furor y se disipó a la vista de todos, como una niebla, apagando de paso la vela de Washington Otis, dejándolos sumidos en una absoluta oscuridad.

Cuando llegó a lo alto de la escalera se dominó, decidiéndose a lanzar su célebre y diabólica carcajada, que tan excelentes resultados le había dado siempre.

Contaba ya la gente que con ella hizo encanecer en una sola noche el peluquín de lord Raker y fue la causa de que se despidieran, sucesivamente, tres amas de llaves francesas de lady Canterville antes de terminar el primer mes en su puesto.

Lanzó, pues, su carcajada más horrible, despertando los ecos de las vetustas bóvedas; pero, apenas apagados éstos, se abrió una puerta y apareció con bata azul celeste mistress Otis.

—Me temo —dijo la dama— que esté usted indispuesto, y aquí le traigo un frasco de la tintura del doctor Dobell. Si se trata de una indigestión, esto le sentará muy bien.

El fantasma la miró con ojos furibundos y se creyó en el deber de metamorfosearse en un gran perro negro, era éste un truco que le había dado fama merecidísima y al cual atribuía el médico de la familia la idiotez incurable del tío de lord Canterville, el honorable Tomás Horton. Pero un ruido de pasos que se acercaban le hizo vacilar en su diabólica intención, y se contentó con volverse un poco fosforescente, desvaneciéndose acto seguido, después de lanzar un gemido sepulcral, pues los gemelos iban ya a darle alcance.

Una vez en su cuarto, sintióse abrumado, presa de la más violenta agitación. La ordinariez de los gemelos, el grosero materialismo de mistress Otis, eran realmente vejatorios; pero lo que más le humillaba era no tener ya fuerzas para soportar la cota de mallas. Contaba con hacer impresión hasta en unos americanos modernos, con hacerles temblar a la vista de un espectro con coraza, ya que no por motivos razonables, al menos por deferencia hacia su poeta nacional Longfellow, cuyas poesías graciosas y atrayentes habíanle ayudado con frecuencia a matar el tiempo, cuando los Cantervilles estaban en Londres. Además, era su propia armadura. La llevó triunfalmente en el torneo de Kenilworth, siendo felicitado calurosamente por la Reina Virgen en persona. Pero al intentar ponérsela quedó materialmente aplastado por el peso de la enorme coraza y del yelmo de acero, y se desplomó pesadamente sobre las losas de piedra, despellejándose las rodillas y magullándose la muñeca derecha.

Durante varios días el fantasma estuvo malísimo, sin poder salir de su cuarto más que lo necesario para mantener en buen estado la mancha de sangre. No obstante lo cual, a fuerza de cuidados, acabó por restablecerse y decidió hacer una tercera tentativa para aterrorizar al ministro de los Estados Unidos y a su familia. Eligió para su reaparición el viernes 17 de agosto, consagrando gran parte del día a pasar revista a su guardarropa, recayendo al fin su elección en un chambergo de ala levantada por un lado, con una pluma roja, un sudario deshilachado por las mangas y el cuello y un puñal mohoso.

Al anochecer estalló una gran tormenta. El viento era tan fuerte, que sacudía y cerraba violentamente las puertas y ventanas del vetusto castillo. Realmente aquel tiempo le convenía. Pensaba hacer lo siguiente: entraría sigilosamente en la habitación de Washington Otis, le musitaría unas frases ininteligibles, quedándose al pie de la cama, y le hundiría por tres veces el puñal en la garganta, a los sones de una música apagada. Odiaba, sobre todo, a Washington, porque sabía perfectamente que era éste quien acostumbraba quitar la famosa mancha de sangre con el quitamanchas sin rival de la casa Pinkerton.

Después de reducir al temerario e insensato joven, entraría en la habitación que ocupaban el ministro de los Estados Unidos y su esposa. Una vez allí, colocaría una mano viscosa sobre la frente de mistress Otis, y al mismo tiempo murmuraría en voz sorda al oído del ministro, tembloroso, los secretos terribles del osario. En cuanto a la juvenil Virginia, aún no tenía pensado nada. No le había insultado nunca. ¡Era tan bonita y tan cariñosa! Unos cuantos gruñidos cavernosos que saliesen del armario-ropero le parecían más que suficientes, y si no bastaban para despertarla, llegaría hasta a arañar la colcha con sus dedos rígidos por la parálisis. Respecto a los gemelos, estaba resuelto a darles una lección: lo primero que haría sería sentarse sobre sus pechos, a fin de producirles la sensación angustiosa de una pesadilla; luego, como sus camas estaban muy juntas, se alzaría entre ellas con el aspecto de un cadáver verde y helado, hasta dejarlos paralizados de terror, y, finalmente, quitándose el sudario, daría la vuelta al dormitorio, como un esqueleto blanqueado por el tiempo, moviendo un solo ojo en su órbita, en su creación de Daniel el Mudo o El Esqueleto del Suicida, papel en el cual hizo gran sensación en varias ocasiones y tan magnífica como su célebre interpretación de Martín el Enajenado o el Misterio Enmascarado.

A las diez y media oyó que subía la familia a acostarse. Durante un rato le inquietaron las estrepitosas carcajadas de los gemelos, que retozaban con su natural algazara de colegiales antes de meterse en la cama; pero a las once y cuarto todo quedó en silencio, y cuando sonaron las doce, se puso en campaña. El búho aleteaba contra los cristales de la ventana, el cuervo crascitaba desde un tejo centenario y el viento gemía vagando alrededor del castillo como un alma en pena; pero la familia Otis dormía, sin sospechar la suerte que le esperaba, y se oían los fuertes ronquidos del ministro de los Estados Unidos, dominando el ruido de la lluvia y de los truenos.

El fantasma se deslizó furtivamente a través del zócalo con una sonrisa perversa en su boca cruel y arrugada. La luna escondió su rostro tras una nube cuando pasó ante la gran ventana ojival, sobre la que aparecían en azul y oro sus propias armas y las de su esposa asesinada. Siguió andando como una sombra funesta, que parecía hacer retroceder de espanto a las mismas tinieblas en su camino. Hubo un momento en que le pareció oír que alguien le llamaba y se detuvo; pero era tan sólo un perro que ladraba en la granja Roja, y prosiguió su marcha, refunfuñando extrañas maldiciones del siglo XVI y blandiendo de cuando en cuando el puñal enmohecido en la noche. Por fin llegó a la esquina del corredor que conducía a la habitación del infortunado Washington. Hizo allí una breve parada. El viento agitaba en torno a su cabeza sus largos mechones grises y ceñía con pliegues grotescos y fantásticos el horror indecible de su fúnebre sudario. Sonaron entonces las doce y cuarto en el reloj y comprendió que había llegado el momento. Con una risotada interna dio la vuelta al corredor; pero apenas lo hizo retrocedió, lanzando un gemido lastimero de terror y escondiendo su cara lívida entre sus largas manos huesudas. ¡Frente a él había un horrible espectro, inmóvil como una estatua y monstruoso como la pesadilla de un loco! Su cabeza era pelada y reluciente; su faz, redonda, carnosa y blanquiamarilla; una risa horrorosa parecía retorcer sus rasgos en una mueca eterna. De sus ojos brotaba a oleadas una luz escarlata; su boca parecía una ancha sima de fuego, y una vestidura horrible como la del propio sir Simon envolvía con su nieve silenciosa aquella forma titánica. Sobre el pecho tenía colgado un cartel con una inscripción extraña en caracteres antiguos; era quizá un rótulo infamante, donde estaban inscritos delitos espantosos, una terrible lista de crímenes, y llevaba en su mano derecha una cimitarra de acero resplandeciente.

Como hasta aquel día no había visto nunca un fantasma, sintió, naturalmente, un tremendo pánico, y después de lanzar rápidamente una segunda ojeada al espantoso espectro, regresó a su cuarto, trompicando en su sudario; cruzó la galería corriendo y acabó por perder el puñal enmohecido, dejándolo caer dentro de las botas de montar del ministro, donde lo encontró al día siguiente el mayordomo. Una vez refugiado en su aposento, se desplomó sobre su mísero lecho, tapándose la cabeza con las sábanas. Pero al cabo de un momento, el valor indomable de los antiguos Cantervilles se despertó en él y adoptó la firme resolución de hablar al otro fantasma en cuanto amaneciese.

Por consiguiente, no bien el alba plateó las cimas de las colinas, volvió al sitio en que viera por primera vez al horroroso fantasma, pensando que, después de todo, dos fantasmas valían más que uno solo, y que, con ayuda de su nuevo amigo, podría contender victoriosamente con los gemelos. Pero cuando llegó a aquel sitio hallóse en presencia de un terrible espectáculo. Sucedíale algo indudablemente al espectro, porque la luz había desaparecido por completo de sus órbitas, la cimitarra centelleante se había caído de su mano y estaba recostado sobre la pared en actitud violenta e incómoda. Se precipitó hacia el espectro y lo cogió en sus brazos; pero cuál no sería su terror viendo que se le desprendía la cabeza y rodaba por el suelo, y entonces notó que abrazaba una cortina blanca de dosel de cama y que yacían a sus pies una escoba, un cuchillo de cocina y una calabaza hueca. Sin poder comprender aquella singular transformación, cogió con mano febril el cartel, leyendo, a la claridad confusa del amanecer, estas palabras terribles.

EL FANTASMA OTIS

el único Espectro auténtico y verdadero.
¡Desconfiad de las imitaciones!
Todos los demás son falsificados.

Y la entera verdad se le apareció de pronto. ¡Había sido burlado, chasqueado, vejado! ¡La expresión genuina de los Cantervilles reapareció en sus ojos! Apretó sus mandíbulas desdentadas y, levantando por encima de su cabeza sus manos amarillas, juró, según el pintoresco ritual de la antigua escuela, que cuando el gallo tocase por dos veces el cuerno de su alegre llamada ocurrirían sangrientos sucesos, y la Muerte, con callado paso, saldría de su retiro.

No bien había terminado de formular este atroz juramento, cuando de una alquería lejana, de roja techumbre, surgió el canto de un gallo. Lanzó una larga risotada, lenta y amarga, y esperó. Esperó una hora y después otra; pero por alguna razón misteriosa el gallo no volvió a cantar. Por fin, a eso de las siete y media, la llegada de las sirvientas le obligó a abandonar su terrible acecho y regresó a su cuarto, pensando en su juramento vano y en su fracasado proyecto. Una vez allí, consultó varios libros de caballería, por los cuales sentía predilección, y pudo comprobar que el gallo había cantado siempre dos veces en cuantas ocasiones se recurrió a semejante juramento.

—¡Que el diablo se lleve a ese condenado volátil! —dijo—. ¡Antaño, yo hubiese caído sobre él, lanza en ristre, obligándole a cantar otra vez para mí, aun en plena agonía!

Y dicho esto se retiró a un confortable féretro de plomo y permaneció allí hasta la noche.

IV

Al día siguiente el fantasma se sintió muy débil y cansado. Las terribles emociones de las cuatro últimas semanas empezaban a producir sus efectos. Tenía el sistema nervioso completamente alterado y le estremecía el más leve ruido. No salió de su cuarto en cinco días y concluyó por renunciar a la mancha de sangre del suelo de la biblioteca. Ya que la familia Otis no quería verla, era indudable que no la merecía. Aquella gente se encontraba, indudablemente, en un plano inferior de vida materialista y era incapaz de apreciar el valor simbólico de los fenómenos sensibles. La cuestión de las apariciones de fantasmas y el desarrollo de los cuerpos astrales eran realmente para ellos cosa desconocida y fuera de su alcance. Constituía para él un deber ineludible manifestarse en el corredor una vez a la semana y farfullar por la gran ventana ojival el primero y el tercer viernes de cada mes, y no encontraba medio alguno digno para sustraerse a aquel deber. Verdad es que su vida fue muy reprochable; pero, fuera de eso, era muy concienzudo en todo cuanto se relacionaba con lo sobrenatural.

Así, pues, los tres sábados siguientes cruzó, como de costumbre, el corredor entre doce de la noche y tres de la madrugada, adoptando todas las precauciones posibles para no ser visto ni oído. Se quitaba las botas, pisaba lo más ligeramente que podía sobre el viejo entarimado carcomido, embozábase en una gran capa de terciopelo negro y usaba siempre el lubricante *Sol Naciente* para engrasar sus cadenas; aunque hay que reconocer que sólo después de muchas vacilaciones se decidió a adoptar este último medio de protección. Aprovechando una noche, y mientras cenaba la familia, se deslizó en el dormitorio de míster Otis y le robó el frasquito.

Al principio sintióse un poco humillado, pero después fue lo suficientemente razonable para comprender que aquel invento merecía grandes elogios y que le ayudaba en cierto modo a realizar sus proyectos; pero, a pesar de esto, no le dejaron en paz.

Seguían atravesando cuerdas en el corredor para hacerle tropezar en la oscuridad, y una vez que se había caracterizado para interpretar el papel de Isaac el Negro o El Cazador del Bosque de Hogley, cayó cuan largo era al poner el pie sobre una *pista* de maderas engrasadas que habían colocado los gemelos desde el umbral del Salón de Tapices hasta el rellano superior de la escalera de roble. Esta última afrenta le enfureció tanto que decidió hacer un postrer esfuerzo para imponer su dignidad y consolidar su posición social, y resolvió visitar en la noche siguiente a los dos insolentes muchachos, en su célebre caracterización de Ruperto el Temerario o El Conde sin Cabeza.

No había vuelto a utilizar aquel disfraz desde hacía más de setenta años, es decir, desde que causó con él tal pavor a la seductora lady Bárbara Modish, que ésta deshizo su proyectado enlace con el bisabuelo del actual lord Canterville y se fugó a Gretna Green con el arrogante Jack Castletown, afirmando que jamás consentiría en emparentarse con una familia que toleraba los paseos de un fantasma tan horrible por la terraza al anochecer. El pobre Jack fue muerto al poco tiempo en duelo por lord Canterville en el prado de Wandsworth, mientras lady Bárbara moría de pena en Tumbridge Wells antes que terminase el año; de modo que fue un éxito magnífico por todos los conceptos. Sin embargo, era un papel de la más difícil "caracterización", permitiéndome emplear este término de jerga teatral con referencia a uno de los mayores misterios del mundo sobrenatural o, dicho en lenguaje más científico, del mundo extranatural, y necesitó tres largas horas para terminar sus preparativos.

Por fin, todo estuvo listo y quedó realmente contentísimo de su aspecto. Las grandes botas de montar, haciendo juego con el traje, le estaban un poco holgadas, y no pudo encontrar más que una de las dos pistolas de arzón; pero, en total, quedó muy satisfecho, y a la una y cuarto atravesó la pared y se dirigió al corredor. Cuando llegó cerca de la habitación ocupada por los gemelos, denominada la Alcoba Azul por el color de sus cortinas, se encontró con la puerta entornada. En su afán de hacer una entrada sensacional, la abrió violentamente, recibiendo una jarra de agua que le dejó empapado hasta los huesos, no aplastándole el hombro por muy poco. Inmediatamente oyó unas risas sofocadas que venían de la doble cama con dosel; su sistema nervioso sufrió una conmoción tal, que salió huyendo hacia su cuarto a toda velocidad, y al día siguiente tuvo que quedarse en la cama con un fuerte catarro.

El único consuelo que tuvo fue el de no haber llevado su cabeza sobre los hombros, pues, si no, las consecuencias hubieran sido mucho más graves.

Desde esa noche renunció para siempre a asustar a aquella inconmovible familia yanqui, y se limitó a vagar por el corredor en zapatillas de fieltro, con una gruesa bufanda al cuello, por temor a las corrientes de aire, y empuñando un pequeño arcabuz por si le atacaban los gemelos. Pero el 19 de septiembre fue cuando recibió el golpe de gracia. Había bajado hasta el amplio vestíbulo, creyendo estar allí libre de vejámenes, y se entretenía haciendo zumbonas observaciones sobre las grandes fotografías del ministro de los Estados Unidos y de su esposa, hechas por Saroni, colocadas ahora ocupando el sitio de los retratos de familia de los Cantervilles. Iba vestido sencilla pero decentemente con un holgado sudario, moteado de musgo de cementerio; habíase atado la quijada con una tira de tela amarilla y llevaba una linterna sorda y un azadón de sepulturero. En resumen: iba caracterizado de Jonás el Desenterrado o El Ladrón de Cadáveres de la Granja de Chertsey, una de sus más notables creaciones, inolvidable para los Cantervilles, puesto que motivó la riña que sostuvieron con lord Rufford, su vecino.

Serían las dos y cuarto de la madrugada, aproximadamente, y todo parecía descansar en el castillo. Pero cuando se diri-
gía confiadamente hacia la biblioteca para
examinar la mancha de sangre, se arroja-
ron de pronto sobre él dos figuras agitando locamente los brazos por encima de
sus cabezas y gritándole al oído: "¡Uuu!".

Lleno de terror pánico, cosa muy lógi-
ca en tales circunstancias, se precipitó hacia la escalera, pero allí le esperaba Washington Otis con una gran regadera.
Cercado así por sus enemigos, acorralado,
tuvo que evaporarse por la estufa de hierro, que, afortunadamente, estaba apagada, abriéndose paso por entre tubos y chimeneas hasta su cuarto, adonde llegó en
un estado tremendo de excitación, deses-
perado y tiznado de hollín. Desde entonces no volvió a realizar ninguna expedi-
ción nocturna. Los gemelos se quedaron

muchas veces al acecho y sembraron de cáscaras de nuez los corredores durante noches y noches, con gran protesta de sus padres y de la servidumbre; pero todo fué inútil. Su amor propio sentíase profundamente herido, sin duda, y decidió no volver a manifestarse. En vista de lo cual, míster Otis reanudó su trabajo en su gran obra sobre la historia del partido demócrata, que había empezado tres años antes. Mistress Otis organizó un maravilloso *clambake*,[1] del que se habló mucho en toda la comarca; los muchachos se dedicaron a jugar al *lacrosse*,[2] al *euchre*,[3] al póquer y a otros juegos nacionales de Norteamérica, y Virginia, a dar paseos a caballo por las cercanías, en compañía del duquecito de Cheshire, que estaba pasando su última

---

[1] Especie de merienda campestre.
[2] Juego de pelota de origen indio.
[3] Juego de naipes.

semana de vacaciones en Canterville. Todo el mundo creía que el fantasma había desaparecido, y por eso míster Otis escribió una carta a lord Canterville comunicándoselo, y el lord le contestó expresando su satisfacción por la noticia y enviando sus más respetuosas felicitaciones a la digna esposa del ministro.

Pero los Otis se equivocaban, porque el fantasma seguía en el castillo, y aunque muy delicado en aquel momento, no estaba dispuesto a retirarse, máxime al saber que entre los invitados figuraba el duquecito de Cheshire, cuyo tío-abuelo lord Francis Stilton apostó en cierta ocasión cien guineas con el coronel Carbury a que jugaría a los dados con el fantasma de Canterville, encontrándoselo a la mañana siguiente tendido en el suelo de la casa de juego con un ataque de parálisis tal, que aun alcanzando, como alcanzó, una edad avanzada, no pudo desde aquel día pronunciar ya nunca más palabras que éstas: "¡El seis doble!". Historia muy conocida en su tiempo, aunque, en atención a los sentimientos de dos familias linajudas, se hizo todo lo posible por ocultarla y de la que existe un relato detallado con todo lo referente a este asunto en el tomo tercero de las *Memorias de lord Tattle sobre el príncipe regente y sus amigos*. Desde entonces el fantasma deseaba ardientemente demostrar que no había perdido su influencia sobre los Stilton, con los que estaba, además, emparentado, aunque lejanamente, pues una prima hermana suya se casó en segundas nupcias con el señor de Bulkeley, de quien, como todo el mundo sabe, descienden en línea directa los duques de Cheshire.

Hizo, por tanto, sus preparativos para manifestarse ante el minúsculo enamorado de Virginia en su famoso papel de El Fraile Vampiro o El Benedictino Desangrado, creación tan horrorosa que cuando la vieja lady Starup se la vio representar, la víspera del funesto Año Nuevo de 1764, empezó a lanzar agudos chillidos que degeneraron en un fuerte ataque de apoplejía, que ocasionó su defunción a los tres días, no sin desheredar antes a los Cantervilles, sus más cercanos parientes, y legar toda su fortuna a su farmacéutico de Londres.

Pero en el último momento, el terror que le inspiraban los gemelos le contuvo en su cuarto, y el duquecito pudo dormir tranquilo en el gran lecho con dosel coronado de plumas del Dormitorio Real, soñando con Virginia.

V

Algunos días después, Virginia y su adorador dieron un paseo a caballo por los prados de Brockley, durante el cual se desgarró ella su vestido de amazona al saltar un seto, y de regreso al castillo tuvo que entrar por la escalera de servicio para que no la viesen. Al pasar corriendo por delante de la puerta del Salón de Tapices, abierta de par en par, le pareció ver a alguien dentro y creyó que sería la doncella de su madre, por lo cual entró allí para encargarle que le cosiera el vestido. Pero con gran sorpresa suya, ¡se encontró con que era el fantasma de Canterville en persona! Habíase sentado ante la ventana, contemplando el oro llameante de los árboles otoñales y las hojas rojizas que bailaban locamente a lo largo de la avenida, llevadas por el viento. Tenía la cabeza apoyada en una mano y toda su actitud revelaba el más completo desaliento.

Realmente su aspecto era tan abatido, que la pequeña Virginia, cuyo primer impulso fue echar a correr y encerrarse en su cuarto, se sintió llena de compasión y decidió consolarle. Pero tenía la muchacha un paso tan ligero, y él una melancolía tan honda, que el fantasma no se dio cuenta de su presencia hasta que ella le habló.

—He sentido mucho por usted —dijo— lo sucedido; pero mis hermanos vuelven mañana a Eton, y desde entonces, si se porta usted bien, nadie le mortificará.

—Es absurdo pedirme que me porte bien —respondió el fantasma, mirando estupefacto a la joven que tenía la audacia de hablarle—, realmente absurdo. No tengo más remedio que sacudir mis cadenas, gemir por los agujeros de las cerraduras y vagar durante la noche; no creo que esto sea portarse mal. Es mi única razón de ser.

—Eso no es nunca una razón de ser, y en sus tiempos fue usted muy malo, como sabe. La señora Umney nos dijo el mismo día que llegamos que había usted matado a su esposa.

—Sí; no lo niego —respondió arrogantemente el fantasma—; pero era un asunto familiar en el que nadie tiene que meterse.

—Está muy mal eso de matar —replicó Virginia, que algunas veces adoptaba un bonito gesto de gravedad puritana, heredado quizá de algún antepasado venido de la Nueva Inglaterra.

—¡Oh, no puedo sufrir la severidad barata de la moral abstracta! Mi mujer era inaguantable; no almidonaba nunca lo suficiente mis golas y no sabía una palabra de cocina. Figúrese que un día había yo cazado un soberbio gamo en los bosques de Hogley, un hermoso macho de dos años. ¡Pues no puede usted imaginarse cómo me lo sirvió! Pero, en fin, dejemos esto; es asunto pasado. Pero no puedo encontrar nada bien que sus hermanos me dejasen morir de hambre, aunque yo la matase.

—¿Que le dejaron morir de hambre? ¡Oh, señor fantasma..., sir Simon, quiero decir! ¿Es que tiene usted hambre? ¿Quiere usted un emparedado que tengo en mi costurero?

—No, gracias, ahora ya no como; pero es usted, de todos modos, muy amable, bastante más atenta que el resto de su horrible, agresiva, ordinaria y nada honorable familia.

—¡Basta! —exclamó Virginia, dando con el pie en el suelo—, el arisco, el horrible y el ordinario lo será usted, y en cuanto a honorabilidad, bien sabe usted que me ha robado todos los colores de mi caja de pinturas para restaurar esa ridícula mancha de sangre de la biblioteca. Empezó usted quitándome los rojos, incluso el bermellón, impidiéndome pintar las puestas de sol; después agarró usted el verde esmeralda y el amarillo, y ya sólo me quedan el añil y el blanco de China; así es que ahora no puedo pintar más que claros de luna, que resultan siempre cursis, y son muy pesados de pintar. Y no le he dicho nada, aun estando bastante molesta, y a pesar de que su proceder era completamente ridículo, porque, ¿se ha visto alguna vez sangre color verde esmeralda?

—De acuerdo —dijo el fantasma con cierta dulzura—; pero ¿qué iba yo a hacer? Es muy difícil en los tiempos actuales proporcionarse sangre de verdad, y como su hermano fue el que empezó con su quitamanchas sin rival, no veo por qué no iba yo a emplear las pinturas de usted. En cuanto al color es cuestión de gustos. Así, por ejemplo, los Cantervilles tienen sangre azul, la más azul que existe en Inglaterra..., aunque ya sé que ustedes los americanos no hacen ningún caso a esas cosas.

—No tiene usted la más ligera noción de los americanos, y lo mejor que puede hacer es emigrar y así se enterará. Mi padre tendrá un verdadero gusto en proporcionarle un pasaje gratuito, y aunque los derechos de Aduana son elevadísimos para toda clase de espíritu, no tendrá usted muchas dificultades para pasar, pues todos los empleados pertenecen al partido demócrata. Y una vez en Nueva York, puede usted contar con un gran éxito. Conozco infinidad de gente que daría cien mil dólares por tener antepasados y una cantidad más crecida aún por contar con un fantasma de familia.

—No creo que me divertiría mucho en los Estados Unidos...

—Se debe eso a que allí no tenemos ruinas ni curiosidades, ¿verdad? —preguntó sarcásticamente Virginia.

—¿Que no tienen curiosidades ni ruinas? —replicó el fantasma—. Pues, ¿y su Marina y sus modales?

—Buenas noches; voy a pedir a papá que conceda a los gemelos otra semana de vacaciones.

—¡No se vaya, miss Virginia, se lo suplico! —exclamó el fantasma—. ¡Estoy tan solo y soy tan desgraciado, que no sé ni lo que digo! Quisiera dormir y no puedo.

—Pues no lo entiendo. No tiene usted más que acostarse y apagar la luz. Alguna vez resulta dificilísimo permanecer despierto, sobre todo en la iglesia; pero, en cambio, dormir me parece muy sencillo. Ya ve usted, los niños saben dormir admirablemente y no son de los más listos.

—Hace trescientos años que no duermo —dijo el anciano fantasma tristemente, haciendo que Virginia abriese asombrada sus bellos ojos azules—; hace ya trescientos años que no duermo, y por eso me siento cansadísimo.

Virginia adoptó una grave expresión y sus finos labios temblaron como pétalos de rosa. Se acercó al fantasma y, arrodillándose junto a él, contempló su cara envejecida y arrugada.

—¡Pobre fantasma! —profirió en un murmullo—. ¿Y no hay ningún sitio donde pueda usted dormir?

—Allá lejos, al otro lado del pinar —dijo él en voz baja y soñadora—, hay un jardincito; la hierba crece en él alta y espesa; allí se abren las estrellas blancas de la cicuta; allí canta el ruiseñor durante toda la noche. Durante toda la noche canta, y la helada luna de cristal mira hacia abajo y el tejo añoso extiende sus brazos gigantescos sobre los durmientes...

Los ojos de Virginia se arrasaron de lágrimas y escondió la cara entre sus manos.

—Habla usted del Jardín de la Muerte —murmuró.

—Sí, de la Muerte. ¡La Muerte, que debe de ser tan hermosa! Descansar en la blanca tierra oscura, bajo las hierbas que se balancean con el aire, y escuchar el silencio... No tener ni ayer ni mañana. Olvidar el tiempo y la vida, yacer en paz... Usted puede ayudarme. Usted puede abrirme las puertas de la Muerte, porque el Amor le acompaña a usted siempre, y el Amor es más fuerte que la Muerte.

Virginia se estremeció. Un helado escalofrío recorrió su cuerpo, y durante unos instantes reinó un gran silencio. Parecíale vivir una terrible pesadilla.

Y entonces el fantasma prosiguió, con una voz que sonaba como los suspiros del viento:

—¿Ha leído usted alguna vez la antigua profecía grabada sobre las vidrieras de la biblioteca?

—¡Oh! Muchas veces —exclamó la muchacha, alzando los ojos hacia él—. La conozco muy bien. Está pintada con unas curiosas letras negras y se lee con dificultad. No tiene más que estos seis versos:

Cuando una virgen rubia logre hacer brotar
una oración de labios del pecador;
cuando el almendro seco vuelva a dar flor,
y un niño deje correr su llanto,
la casa entonces tranquila quedará
y a Canterville la paz retornará.

Pero no sé lo que significan.

—Significan —dijo tristemente el fantasma— que tiene usted que llorar conmigo mis pecados, pues yo no tengo lágrimas, y que rezar conmigo por mi alma, pues no tengo fe; y entonces, si ha sido usted siempre dulce, buena y tierna, el Angel de la Muerte me llevará con él. Verá usted seres horribles en las tinieblas, y voces diabólicas murmurarán en sus oídos; pero no podrán causarle ningún daño, porque contra la pureza de una niña no pueden nada las potencias infernales.

Virginia no contestó, y el fantasma retorcióse las manos en su desesperación, contemplando la rubia cabeza inclinada. Pero de pronto la muchacha se irguió muy pálida, con un extraño fulgor en los ojos, exclamando con voz firme:

—No tengo miedo. Rogaré al Angel que se apiade de usted.

El fantasma se levantó de su asiento lanzando un grito de alegría, y cogiéndole la mano con una gentileza que recordaba los pasados tiempos, la besó. Sus dedos estaban fríos como el hielo y sus labios abrasaban como el fuego, pero Virginia no flaqueó y él la condujo cruzando la estancia sombría. Sobre un tapiz de un verde deslucido estaban bordados unos pequeños cazadores que al pasar ella soplaron en sus cuernos adornados con flecos, y con sus lindas manos le hicieron seña para que retrocediese.

—¡Vuelve sobre tus pasos, Virginita! —gritaban—; ¡no sigas, no sigas!

Pero el fantasma le apretaba la mano con más fuerza y ella cerró los ojos para no verlos. Horribles monstruos de cola de lagarto y ojazos saltones gestearon maliciosamente desde las esquinas de la esculpida chimenea, diciéndole en voz baja:

—¡Ten cuidado, Virginita, ten cuidado! ¡Acaso no volvamos a verte!

Pero el fantasma apresuró entonces el paso, y Virginia no oyó nada. Cuando llegaron al extremo de la estancia, el fantasma se detuvo murmurando unas palabras que ella no comprendió. Abrió Virginia de nuevo sus ojos y vio que el muro se evaporaba lentamente, como una niebla, y que se abría ante ella una negra caverna. Un áspero y helado viento los azotó, mientras Virginia sentía que la tiraban del vestido.

—¡De prisa, de prisa —gritó el fantasma—, o será demasiado tarde!

Y en el mismo instante el muro se cerró nuevamente tras ellos y el Salón de Tapices quedó solitario.

VI

Unos diez minutos después sonó la campana para el té, y como Virginia no apareciese, mistress Otis envió a uno de los criados en su busca. Este no tardó en volver, diciendo que no había podido encontrar a miss Virginia por ninguna parte. Como la muchacha tenía la costumbre de ir todas las tardes al jardín a coger flores para la cena, mistress Otis no se preocupó ya por su busca; pero como sonaron las seis y Virginia siguiese sin aparecer, su madre sintióse seriamente intranquila y envió a los chicos en su busca, mientras ella y su marido registraban toda la casa. A las seis y media volvieron los gemelos diciendo que no habían encontrado huellas de su hermana por ningún sitio. Excitados todos extraordinariamente, y cuando no sabían qué hacer, míster Otis recordó de pronto que unos días antes había permitido que acampase en el parque una tribu de gitanos. Salió, pues, inmediatamente hacia Blackell-Hollow acompañado de su hijo mayor y de dos mozos de la granja. El duquecito de Cheshire, loco de inquietud, rogó encarecidamente a míster Otis que le dejase acompañarlos; mas el ministro se negó, temiendo algún jaleo. Pero cuando llegó al sitio en cuestión, vio que los gitanos se habían marchado, huyendo precipitadamente, sin duda alguna, pues las hogueras ardían todavía y quedaban algunos platos sobre la hierba. Después de mandar a Washington y a los dos mozos que registrasen los alrededores, regresó apresuradamente al castillo y telegrafió a todos los inspectores de policía del condado, rogándoles que buscasen a una muchacha raptada por unos vagabundos o unos gitanos. Luego mandó que le trajeran otra vez su caballo y después de insistir con su mujer y con los tres jóvenes para que comiesen, partió a galope por el camino de Ascot, acompañado por un lacayo. Había recorrido apenas dos millas cuando oyó un galope a su espalda, y al volverse vio al duquecito que llegaba en su jaca, con la cara sofocada y la cabeza al aire.

—Lo siento muchísimo, míster Otis —dijo el muchacho con voz jadeante—, pero me es imposible comer mientras Virginia no aparezca. No se enfade conmigo, por favor. Si nos hubiera usted permitido

casarnos el año último, no habría sucedido esto. No me manda usted volverme,
¿verdad? ¡No podría... no querría irme!

El ministro no pudo por menos que
dedicar una sonrisa a aquel joven guapo y
atolondrado, muy conmovido ante el cari-
ño que demostraba por Virginia; inclinándose sobre su caballo, le dio unos amisto-
sos golpecitos en el hombro, y le dijo:

—Bueno, Cecil, ya que insiste usted en
venir, accedo a llevarle en mi compañía;
pero eso sí tendremos que comprarle un
sombrero en Ascot.

—¡Al diablo los sombreros! ¡Lo que ne-
cesito es a Virginia! —exclamó el duquecito, riendo; y acto seguido galoparon hasta
la estación.

Una vez allí, míster Otis preguntó al
jefe si no había visto en el andén alguna
muchacha cuyas señas correspondían con
las de Virginia, pero no consiguió averi-

guar nada. No obstante lo cual el jefe telegrafió a las estaciones del trayecto y le prometió ejercer una minuciosa vigilancia. Y en seguida, después de haber comprado un sombrero para el duquecito en una tienda de novedades que se disponía a cerrar, míster Otis decidió cabalgar hasta Bexley, pueblo situado a unas cuatro millas de distancia y que, según le dijeron, era muy frecuentado por los gitanos por estar próximo a la ciudad. Allí hicieron levantarse al guarda rural, pero éste no pudo proporcionarles dato alguno. Y después de recorrer el pueblo, emprendieron otra vez el camino de vuelta y llegaron al castillo a eso de las once, rendidos de cansancio y con el corazón desgarrado por la inquietud. Allí estaban Washington y los gemelos, esperándolos a la puerta con linternas, pues la avenida estaba muy oscura. No habían descubierto ellos tampoco la menor señal de Virginia. Los gitanos fueron alcanzados por los prados de Brockley, pero Virginia no estaba entre ellos, y explicaron su apresurada partida diciendo que habían equivocado la fecha en que debía celebrarse la feria de Chorton, y que el temor a llegar tarde los obligó a marchar a toda prisa. Además, parecieron muy apenados por la desaparición de Virginia, pues estaban agradecidísimos a míster Otis por haberles permitido acampar en su parque; cuatro de la tribu se quedaron atrás para cooperar en la pesquisas.

Se hizo vaciar el estanque de las carpas, registraron la finca minuciosamente, pero no consiguieron ningún resultado. Era evidente que Virginia estaba perdida, al menos por aquella noche. Y en un estado de profundo abatimiento, volvieron al castillo míster Otis y los jóvenes, seguidos por el lacayo, que llevaba de las bridas a los dos caballos y al pony. En el vestíbulo encontráronse con un grupo de criados llenos de terror, y en la biblioteca a la pobre mistress Otis, tumbada sobre un sofá, casi loca de espanto y de ansiedad, y a la vieja ama de gobierno humedeciéndole la frente con agua de colonia.

Fue una comida tristísima; apenas habló nadie, y hasta los mismos gemelos se mostraban consternados, pues querían mucho a su hermana. Cuando terminaron, míster Otis, a pesar de los ruegos del duquecito, mandó que todo el mundo se acostase, puesto que nada podía hacerse ya aquella noche, y dijo que al día siguiente telegrafiaría a Scotland Yard pidiendo que le mandaran inmediatamente varios detectives.

Pero en el preciso momento en que salían del comedor sonaban las doce en el reloj de la torre, y apenas se habían extinguido las vibraciones de la última campanada se oyó un crujido acompañado de un grito muy penetrante; un trueno terrible bamboleó el castillo; una música extraterrenal resonó en el aire; un lienzo de pared se desplomó con estrépito en el rellano de la escalera y en el hueco apareció muy pálida, casi blanca, Virginia, llevando un cofrecillo en sus manos. Inmediatamente todos se precipitaron hacia ella. Mistress Otis la estrechó apasionadamente contra su corazón, el duquecito la ahogó casi con sus besos y los gemelos ejecutaron una danza de guerra salvaje alrededor del grupo.

—¡Ah, hija mía! ¿Dónde estabas? —dijo míster Otis, bastante irritado, creyendo que les había querido gastar una broma—. Cecil y yo hemos registrado toda la comarca a caballo en busca tuya y tu madre ha estado a punto de morirse de espanto. ¡No vuelvas a dar una bromita así a nadie!

—¡Como no sea el fantasma! —gritaron los gemelos, continuando sus cabriolas.

—Hija mía, gracias a Dios que te hemos encontrado. Ya no volverás a separarte nunca de mí —murmuró mistress Otis, besando a la muchacha, toda trémula y acariciando sus cabellos de oro, que caían un poco revueltos sobre sus hombros.

—Papá —dijo Virginia dulcemente—, estaba con el fantasma. Ha muerto ya y tenéis que venir a verle. Fue muy malo, pero se ha arrepentido sinceramente de todo cuanto había hecho, y antes de morir me ha dado este cofrecillo de joyas.

Toda la familia la contempló muda y estupefacta; pero Virginia tenía un aire muy solemne y muy serio, y dando media vuelta los precedió a través del hueco del muro, conduciéndolos por un corredor secreto. Washington la seguía llevando una vela encendida que cogió de la mesa. Por fin llegaron a una gran puerta de roble sembrada de recios clavos herrumbrosos.

No bien Virginia la tocó, la puerta giró sobre sus pesados goznes y se hallaron en una reducida estancia, de techo abovedado, que tenía una ventanita enrejada. Junto a una gran argolla de hierro, empotrada en el muro, y con la cual estaba encadenado, había un esqueleto amarillento, tendido cuan largo era sobre las losas, y que parecía estirar sus dedos descarnados intentando llegar a una escudilla y a un cántaro de formas antiguas, colocados en tal forma que estaban justamente fuera de su alcance. El cántaro había estado lleno de agua, indudablemente, pues tenía su interior tapizado de verdín. Sobre la escudilla no quedaba más que un montón de polvo. Virginia se arrodilló junto al esqueleto y, uniendo sus manos, se puso a rezar en silencio, mientras los demás contemplaban asombrados la terrible tragedia cuyo secreto acababa de serles revelado.

—¡Atiza! —exclamó de pronto uno de los gemelos que había ido a mirar por la ventanilla, para calcular hacia qué parte del castillo se encontraba aquella habitación—. ¡Atiza! El viejo almendro que estaba seco ha florecido. Se ven desde aquí admirablemente las flores a la luz de la luna.

—¡Dios le ha perdonado! —dijo gravemente Virginia, levantándose; y un magnífico fulgor pareció iluminar su rostro.

—¡Eres un ángel! —exclamó el duquecito.

Y ciñéndole el cuello con sus brazos, la besó.

VII

Cuatro días después de estos curiosos sucesos, alrededor de las once de la noche salía un fúnebre cortejo del castillo de Canterville. La carroza iba tirada por ocho caballos negros, cada uno de los cuales llevaba sobre el testuz un gran penacho de plumas de avestruz. El féretro iba cubierto con un rico paño de púrpura, sobre el cual estaban bordadas en oro las armas de los Cantervilles. A los dos lados de la carroza y de los coches marchaban los criados con antorchas encendidas, y toda aquella comitiva presentaba un aspecto grandioso e impresionante. Lord Canterville presidía el duelo. Había venido de Gales expresamente para asistir al sepelio y ocupaba el primer coche con miss Virginia. Detrás iban el ministro de los Estados Unidos y su esposa; en el coche siguiente, Washington y los tres muchachos, y en el último, la señora Umney, ya que todo el mundo convino en que después de haber vivido aterrada más de cincuenta años por el fantasma, tenía realmente derecho a verlo desaparecer para siempre. Habían cavado una profunda fosa en un rincón del cementerio, precisamente bajo el tejo centenario, y dijo el oficio de difuntos del modo más solemne el reverendo Augusto Dampier. Una vez terminada la ceremonia, los criados, siguiendo una tradicional costumbre establecida en la familia Canterville, apagaron sus antorchas; y luego, al bajar el féretro a la fosa, Virginia se adelantó, colocando sobre él una gran cruz hecha con flores de almendro blancas y rosadas. En aquel momento salió la luna de detrás de una nube e inundó el cementerio con sus silenciosas oleadas de plata, y de un cercano boscaje se elevó el canto de un ruiseñor. Virginia recordó la descripción que del Jardín de la Muerte le hiciera el fantasma y sus ojos se llenaron de lágrimas; y apenas pronunció palabra durante el regreso.

A la mañana siguiente, antes que lord Canterville regresara a la ciudad, míster Otis tuvo una extensa conversación con él, a propósito de las joyas que el fantasma regaló a Virginia. Eran realmente magníficas; había, sobre todo, un collar de rubíes de antigua montura veneciana que era una espléndida muestra del siglo XVI, y de tal valía, que míster Otis sintió vivos escrúpulos en permitir a su hija que se quedase con él.

—Milord —dijo el ministro a lord Canterville—, sé que en este país se aplica la antigua ley del Mayorazgo, lo mismo a los pequeños objetos que a los inmuebles; es evidente, por consecuencia, evidentísimo, que estas joyas, que son bienes muebles, deben quedar en poder de usted como formando parte de la herencia de su familia. Le ruego, pues, que se las lleve a Londres, considerándolas simplemente como una parte de su herencia, que le hubiere sido restituida en circunstancias extraordinarias. En cuanto a mi hija, no es más que una chiquilla, y hasta hoy me congratula asegurarle que siente poco interés por esas futilezas de lujo superfluo. Sé igualmente por mistress Otis, cuya autoridad en materia de arte no es despreciable, pues ha tenido la suerte de pasar varios inviernos en Boston siendo muchacha, que esas piedras preciosas tienen un gran valor, y que si se pusieran en venta producirían una crecida suma. En estas condiciones, reconocerá usted, lord Canterville, que no puedo permitir que queden en manos de ningún miembro de mi familia. Aparte de que todos esos adornos inútiles resultan muy apropiados e incluso son necesarios a la dignidad de la aristocracia inglesa, pero estarían fuera de lugar entre personas educadas conforme a los severos, y a mi entender, inmortales, principios de la sencillez republicana. Quizá me atrevería a asegurar que Virginia tiene gran interés en que le permita usted quedarse con el cofrecillo que encierra esas joyas, en recuerdo de sus locuras y de los infortunios del antepasado de usted. Y como ese cofrecillo está muy viejo y, por consiguiente, deterioradísimo, quizá le parezca a usted razonable complacerla. En cuanto a mí, confieso que me sorprende grandemente ver que uno de mis hijos siente interés por un objeto medieval, y la única explicación que encuentro a tan extraño hecho es que Virginia nació en un barrio popular de Londres poco tiempo después de regresar mistress Otis de un viaje a Atenas.

Lord Canterville escuchó imperturbable el discurso del digno ministro, atusándose de cuando en cuando su bigote gris para disimular una sonrisa involuntaria, y cuando míster Otis hubo terminado, le estrechó cordialmente la mano y replicó:

—Mi querido amigo, su encantadora hija ha prestado un servicio importantísimo a mi desgraciado antecesor sir Simon, y tanto mi familia como yo le estamos muy reconocidos por su maravilloso valor y sangre fría. Las joyas le pertenecen, sin duda alguna, y creo que si fuera yo tan egoísta que se las quitase, el viejo tunante saldría de su tumba al cabo de quince días para infernarme la existencia. En cuanto a que sean joya de familia, no podrían considerarse como tales sino después de estar especificadas así en un testamento o en otro documento legal; y menos cuando la existencia de estas joyas ha permanecido ignorada hasta ahora. Le aseguro a usted que son tan mías como de su mayordomo, y creo también poder asegurarle que cuando miss Virginia sea mayor, le gustará tener cosas tan lindas para adornarse. Además, olvida usted, míster Otis, que adquirió la finca con el fantasma por un mismo precio; de modo que todo lo que pertenece al fantasma ha pasado a ser propiedad de usted, ya que, a pesar de las pruebas de actividad que ha dado sir Simon durante las noches por el corredor, no por eso dejaba de estar menos muerto desde el punto de vista legal, y su compra le hace a usted dueño de todo cuanto le pertenecía a él.

Míster Otis se quedó muy contrariado ante la negativa de lord Canterville, y le rogó que reflexionara nuevamente su decisión; pero el excelente aristócrata se mantuvo firme en ella, y acabó por convencer al ministro de que permitiera a su hija aceptar el regalo del fantasma; y cuando en la primavera de 1890 fue presentada por primera vez en la recepción de la reina, la duquesita de Cheshire, con motivo de su boda, sus joyas fueron motivo de general admiración. Porque Virginia fue agraciada con la corona que lleva el tortil o lambrequín de baronía, que se otorga como recompensa a todas las americanitas buenas; y en cuanto tuvo edad para ello, se casó con el duquecito. Eran ambos tan seductores y se amaban de tal modo, que a todo el mundo le encantó aquel matrimonio, excepto a la vieja marquesa de Dumbleton, que había intentado por todos los medios atrapar al duque para casarlo con una de sus siete hijas solteronas, dando para lograrlo nada menos que tres comidas costosísimas. Y cosa rara: también míster Otis era otra excepción, pues, aunque sentía un vivo afecto personal por el duquecito, era, teóricamente, enemigo de la nobleza, y según sus propias palabras, "temía que, entre las influencias deprimentes de una aristocracia enloquecida por el placer, se olvidaran los verdaderos principios de la sencillez republicana". Pero sus observaciones quedaron completamente desechadas, y sospecho que cuando avanzó por la nave de la iglesia de San Jorge, en Hannover Square, no había un hombre más orgulloso en los cuatro puntos cardinales de Inglaterra.

Terminada su luna de miel, el duque y la duquesita fueron al castillo de Canterville, y al día siguiente de su llegada se dirigieron, pasado el atardecer, al cementerio solitario, cercano al pinar. Al principio les preocupó mucho lo relacionado con la inscripción que debía grabarse sobre la lápida de sir Simon; pero acabaron por decidirse a poner simplemente las iniciales del viejo aristócrata, y los versos de la profecía. La duquesa llevó un ramo de rosas magníficas, que esparció sobre la tumba; después de permanecer en pie allí un rato, se pasearon por las ruinas del claustro de la antigua abadía. La duquesa se sentó sobre una columna caída, mientras su marido, recostado a sus pies, fumaba un cigarrillo contemplando sus bellos ojos. De pronto, tiró el cigarrillo y cogiéndole una mano, dijo:

—Virginia, una mujer no debe tener secretos para su marido.

—Y no los tengo para ti, querido Cecil.

—Sí los tienes —respondió él, sonriendo—. No me has dicho nunca lo que sucedió mientras estuviste encerrada con el fantasma.

—Ni se lo he dicho a nadie, Cecil —replicó Virginia gravemente.

—Ya lo sé; pero bien podías decírmelo a mí.

—Cecil, te ruego que no me lo pidas. No puedo realmente decírtelo. ¡Pobre sir

Simon! Le debo mucho. Sí, Cecil; no te rías, le debo mucho, verdaderamente. Me hizo comprender lo que es la vida, lo que significa la muerte, y por qué el amor es más fuerte que la muerte y que la vida.

El duque se levantó y besó, amorosamente, a su esposa.

—Puedes guardar tu secreto mientras posea yo tu corazón —murmuró.

—Siempre fue tuyo, Cecil.

—Y se lo dirás algún día a nuestros hijos, ¿verdad?

Virginia se ruborizó.

EL CUMPLEAÑOS DE LA INFANTA

*A mistress William H. Grenfell
de Taplow Court*

 Era el cumpleaños de la infanta. Cumplía exactamente doce años de edad, y el sol lucía brillantemente en los jardines del palacio.

Aunque era ella una princesa real e infanta de España, no tenía más que un cumpleaños cada año, igual que los hijos de los más pobres, y era naturalmente asunto de gran importancia para todo el reino que hiciera un día muy hermoso en aquella ocasión. Y realmente hacía un día muy hermoso. Los altos y chillones tulipanes se erguían sobre sus tallos, parecidos a largas filas de soldados, y miraban provocativamente a las rosas, y decían:

—Ahora somos tan magníficos como vosotras.

Purpúreas mariposas revoloteaban alrededor, con alas empolvadas de oro, y recorrían cada flor, alternativamente; las lagartijas asomaban entre las grietas del muro, calentándose a los brillantes rayos; y las granadas se abrían y estallaban con el calor, mostrando sus sangrantes y rojos corazones. Hasta los pálidos limoneros amarillos, que con tal profusión colgaban de las averiadas espaldaderas y a lo largo de las oscuras arcadas, parecían tomar del sol maravilloso un color más rico, y los magnolios abrían sus grandes flores de prieto marfil, y aromaban el aire con su dulce y denso perfume.

La princesita correteó por la terraza con sus compañeros y jugó al escondite alrededor de los jarrones de piedra y de las viejas estatuas cubiertas de musgo. Los días corrientes sólo le estaba permitido jugar con niños de su rango; por eso siempre tenía que jugar sola; pero el día de su cumpleaños era una excepción, y el rey había dado órdenes de que invitase a todas las jóvenes amigas que quisiese para que viniesen a divertirse con ella. Había una gracia majestuosa alrededor de todos aquellos delicados niños españoles; los muchachos con sus anchos chambergos empenachados y sus capas flotantes, las niñas recogiéndose las colas de sus largos vestidos de brocado y protegiendo sus ojos del sol con inmensos abanicos negro y plata. Pero la infanta era la más graciosa de todas, y la más elegantemente vestida, conforme a la moda un tanto incómoda de aquel tiempo. Su vestido era de raso gris, con la falda y las amplias mangas abullonadas, de bordados de plata, y el tieso corpiño tachonado por hileras de finas perlas. Dos pequeños chapines con grandes escarapelas rosadas asomaban bajo su vestido al andar. Rosa y perla era su gran abanico de gasa, y en sus cabellos, que semejantes a una aureola de oro pálido rodeaban su pálida carita, llevaba una bellísima rosa blanca.

Desde una ventana del palacio el triste y melancólico rey las observaba. En pie, detrás de él, estaba su hermano, don Pedro de Aragón, a quien aquél odiaba, y su confesor, el Gran Inquisidor de Granada, sentado a su lado. El rey estaba más triste que de costumbre, pues cuando miraba a la infanta saludando con infantil gravedad a los cortesanos reunidos, o riéndose tras su abanico de la horrorosa duquesa de Alburquerque, que la acompañaba siempre, pensaba en la joven reina, su madre, que poco tiempo antes —así le parecía a él— llegó del alegre país de Francia, y luego se marchitó en el sombrío esplendor de la Corte Española, muriendo justamente seis meses después del nacimiento de su hija, antes de haber visto florecer dos veces los almendros del huerto o recogido el fruto del segundo año de la vieja y retorcida higuera que crecía en el centro del patio cubierto ahora de hierba. Tan grande había sido su amor por ella, que no consintió que la tumba se la arrebatase por completo. Fue embalsamada por un médico moro, a quien en compensación de este servicio perdonaron la vida, estando ya, según decían, procesado por el Santo Oficio por herejía y sospechas de prácticas de brujería; y su cadáver reposaba aún en un tapizado féretro, en la capilla de mármol negro del palacio, exactamente como los monjes la habían dejado allí aquel día borrascoso de marzo, hacía cerca de doce años.

Una vez por mes el rey, envuelto en una oscura capa, y con una linterna sorda en su mano, iba a arrodillarse a su lado, llamándola:

—*¡Mi reina! ¡Mi reina!*

Algunas veces, rompiendo la ceremoniosa etiqueta que en España rige cada acto distinto de la vida y pone límites hasta el dolor de un rey, cogía las pálidas manos enjoyadas con ardiente emoción e intentaba resucitar con sus besos el rostro pintado y frío.

Hoy parecíale verla de nuevo, como cuando la contempló por primera vez en el Castillo de Fontainebleau, teniendo él tan sólo quince años de edad y siendo ella más joven aún. Contrajeron solemnes esponsales en aquella ocasión ante el nuncio de Su Santidad, en presencia del rey de Francia y de toda la Corte; y él volvió a El Escorial llevando consigo un ricito de cabellos rubios y el recuerdo de dos labios infantiles inclinándose para besar su mano cuando subió a su carroza. Después se celebró el casamiento, apresuradamente, en Burgos, ciudad cercana a la frontera de ambos países, y la gran entrada pública en Madrid, con la acostumbrada celebración de la misa mayor en la iglesia de Atocha, y un *auto de fe* más solemne que de ordinario, en el cual unos trescientos herejes, entre ellos muchos ingleses, fueron entregados al brazo secular para ser quemados.

Indudablemente la había amado con locura, para ruina, pensaron muchos, de su país, entonces en guerra con Inglaterra por la posesión del Imperio del Nuevo Mundo. Apenas le permitía nunca que se apartara de su lado; por ella olvidó, o pareció olvidar, todos los graves asuntos de Estado; y con esa terrible ceguera que la

pasión aporta a sus esclavos, no advirtió
que las minuciosas ceremonias con que
quiso distraerla sólo consiguieron agravar
la extraña dolencia que ella sufría. Cuando
murió, durante algún tiempo pareció pri-
vado de razón. Y realmente hubiera abdi-
cado, sin duda para retirarse al gran mo-
nasterio trapense de Granada, del que ya
era prior titular, si no hubiese temido dejar
la infantita a merced de su hermano, cuya
crueldad era notoria, incluso en España, y
sospechoso para muchos de haber causa-
do la muerte de la reina por medio de un
par de guantes envenenados que le rega-
lara en ocasión de su visita a su castillo de
Aragón. Y hasta después de finalizar los
tres años de luto oficial que él ordenó
para todos sus dominios por un edicto
real, nunca hubiera consentido a sus ministros que le hablasen de ninguna nueva
alianza; y cuando el propio emperador le

ofreció la mano de su sobrina, la encantadora archiduquesa de Bohemia, encargó a
los embajadores que dijeran a su señor
que el rey de España estaba ya desposado
con la Pena, y que aun siendo ésta una
esposa estéril la amaba más que a la Belleza, respuesta que costó a su corona las
ricas provincias de los Países Bajos, que
poco después, por instigación del emperador, se rebelaron contra él, dirigidos por
algunos fanáticos de la Iglesia Reformada.

Toda su vida conyugal, con sus ale-
grías violentas y ardientes, y la terrible agonía de aquel repentino fin, parecía volver
a él al contemplar hoy a la infanta jugando en la terraza. Tenía ella toda la linda
petulancia de maneras de la reina, el mismo acostumbrado gesto, voluntarioso, de
mover la cabeza, el mismo orgulloso con-
torno de su encantadora boca, la misma
maravillosa sonrisa —*vrai sourire de*

France—[1] realmente cuando miraba ahora a la ventana, o tendía su manita para que la besaran los ceremoniosos caballeros españoles. Pero la risa penetrante de los niños irritaba sus oídos, y el fulgor implacable del sol se burlaba de su pena, y un pesado aroma de raras especias, especias semejantes a las que usan los embalsamadores, parecía corromper —¿o era fantasía suya?— el aire puro de la mañana. Escondió su rostro entre las manos, y cuando la infanta miró nuevamente hacia arriba, las cortinas estaban corridas y el rey se había retirado.

Hizo la infanta una *moue*[2] leve y encogióse de hombros. Sin duda podía haberse quedado con ella en su cumpleaños. ¿Qué le importaban los estúpidos asuntos de Es-

---

[1] Verdadera sonrisa de Francia.
[2] Mueca.

tado? ¿O se había ido a aquella oscura capilla, donde ardían siempre los cirios y donde nunca le permitirían entrar? ¡Qué tontería en él, cuando el sol lucía tan espléndidamente y todo el mundo era tan dichoso! Además, iba a perderse el simulacro de la corrida de toros, cuyo comienzo anunciaban las trompetas, sin hablar de los títeres y de las otras maravillas. Su tío y el Gran Inquisidor eran mucho más cuerdos. Habían bajado a la terraza a decirle gentiles cumplidos. Irguiendo, pues, su linda cabeza, cogió a don Pedro de la mano y descendió pausadamente los escalones hacia un amplio pabellón de seda púrpura que habían levantado al final del jardín; los otros niños la seguían por orden riguroso de primacía, yendo primero los que tenían más largos apellidos.

Una procesión de niños nobles, fantásticamente vestidos de *toreadores,* vino a

su encuentro, y el joven conde de Tierra-
Nueva, muchacho de unos catorce años,
de maravillosa hermosura, descubriéndose
con toda la gracia de un *hidalgo* de nacimiento, grande de España, la condujo solemnemente a un pequeño sillón de oro y
marfil colocado en lo alto de un estrado
que dominaba el ruedo. Las muchachas se
agruparon alrededor, agitando sus enormes abanicos y murmurando entre ellas, y
don Pedro y el Gran Inquisidor permanecieron riendo a la entrada. Hasta la duquesa —*la camarera Mayor,* como la llamaban—, una dama delgada de aspecto severo
con una gorguera amarilla, no parecía tan
malhumorada como de costumbre, y algo
parecido a una fría sonrisa vagaba sobre
su arrugada cara y crispaba sus finos labios exangües.

Fue ciertamente una maravillosa corrida de toros, mucho más bonita, pensó la

infanta, que la auténtica corrida que había presenciado en Sevilla, con ocasión de la visita del duque de Parma a su padre. Algunos de los muchachos caracoleaban sobre cabellos de juguete ricamente enjaezados, blandiendo largas picas adornadas con alegres banderolas de brillantes telas; otros iban a pie agitando ante el toro sus capas escarlatas y saltando la barrera cuando los embestía; y en cuanto al toro mismo, era exactamente como un toro vivo, aunque fuera solamente de mimbre forrado de cuero, y a veces insistiese en correr en dos patas por el ruedo, lo cual no hubiera nunca soñado en hacer un toro vivo. De todos modos, se portó tan magníficamente, que las muchachas, excitadas, acabaron por subirse a los bancos y, agitando sus pañolitos de encaje, gritaron: *"¡Bravo toro! ¡Bravo toro!"*. Exactamente igual que si fueran personas mayores. Por último, después de una prolongada lidia, en la que fueron corneados varios caballitos y desmontados sus jinetes, el joven conde de Tierra-Nueva logró que el toro se arrodillase, y, habiendo obtenido la venia de la infanta para darle el *coup de grâce*,[3] hundió su estoque de madera en el morrillo del animal con tanta violencia, que la cabeza se desprendió, descubriendo entonces el rostro sonriente del pequeño *monsieur de Lorraine,* hijo del embajador francés en Madrid.

Despejaron, entonces, el ruedo en medio de muchos aplausos, y arrastrados solemnemente los caballitos muertos por dos pajes moros de libreas negras y amarillas, y después de un corto intervalo, durante

---

[3] El golpe de gracia.

el cual un hábil acróbata francés realizó
equilibrios sobre la cuerda floja, unos polichinelas italianos representaron la tragedia semiclásica de *Sofonisba* en el escena-
rio de un pequeño teatro expresamente
construido para este objeto. Representaron
tan bien, y sus gestos fueron tan extrema-
damente naturales, que al final de la obra
los ojos de la infanta estaban arrasados de
lágrimas. Realmente, algunos de los niños
de verdad chillaron y tuvieron que ser con-
solados con golosinas; y el propio Gran
Inquisidor se sintió tan afectado, que no
pudo por menos de decir a don Pedro
que parecíale intolerable que unos simples
muñecos de madera y de cera pintada,
movidos mecánicamente por alambres, pudieran ser tan desgraciados y sufrir tan
terribles infortunios. Después salió un juglar africano que trajo un gran cesto cubierto con un paño rojo; y colocándolo en

el centro del ruedo, sacó de su turbante una curiosa flauta de caña y empezó a tocar. A los pocos momentos comenzó a moverse el paño, y mientras de la flauta salían sonidos cada vez más agudos, dos serpientes verdes y oro sacaron sus extrañas cabezas triangulares y se enderezaron lentamente, balanceándose con la música, como se balancea una planta en el agua. Los niños, sin embargo, estaban algo asustados ante aquellas capuchas moteadas y aquellas lenguas veloces como saetas; y se divirtieron mucho más cuando el juglar hizo brotar de la arena un naranjo enano que se cubrió de preciosas flores blancas y de racimos de verdaderas naranjas; y cuando cogió el abanico de la hija pequeña del marqués de las Torres y lo transformó en un pájaro azul que revoloteó alrededor del pabellón cantando su deleite; y su asombro no conoció límites. El ceremonioso minué bailado por los seises[4] de la iglesia de *Nuestra Señora del Pilar* fue también encantador. La infanta no había presenciado nunca esta maravillosa ceremonia que tiene lugar todos los años en mayo, ante el altar mayor de la Virgen y en su honor; y realmente nadie de la familia real de España había entrado en la gran catedral de Zaragoza desde que un sacerdote loco, que se suponía estaba pagado por Isabel de Inglaterra, había intentado dar una hostia envenenada al príncipe de Asturias. Por eso, ella conocía solamente de oídas la "Danza de Nuestra Señora", como la llamaban, que era realmente un espectáculo muy hermoso. Los niños vestían an-

---

[4] Cada uno de los niños de coro, seis por lo común, que, vestidos lujosamente con traje antiguo de seda azul y blanca, bailan y cantan tocando las castañuelas en la catedral de Sevilla, y en algunas otras, en determinadas festividades del año.

tiguos trajes de corte de terciopelo blanco,
y sus curiosos tricornios estaban ribetea-
dos de plata y coronados por grandes plumas de avestruz; resultaba más deslum-
brante aún la blancura de sus trajes cuando
se movían al sol, por sus caras atezadas y
sus largos cabellos negros. Todo el mundo
estaba fascinado por la grave dignidad con
que se movían a través de las intrincadas
figuras de la danza, y por la gracia cuida-
da de sus lentos ademanes y de sus cere-
moniosas reverencias; y cuando al terminar se quitaron sus grandes sombreros
emplumados ante la infanta, ella contestó
a su reverencia con mucha cortesía, e hizo
votos de mandar un grueso cirio al San-
tuario de Nuestra Señora del Pilar para
corresponder al placer que le habían proporcionado.

Una banda de hermosos egipcios
—como se llamaba por aquellos días a los

gitanos— avanzó entonces por el ruedo, y sentándose en círculos con las piernas cruzadas empezaron a tañer suavemente sus cítaras, moviendo sus cuerpos a compás, y canturreando casi imperceptiblemente un aire apagado y soñador. Cuando vieron a don Pedro fruncieron el ceño, y algunos parecieron aterrorizados, pues unas semanas antes había mandado ahorcar, por brujería, a dos de su tribu en la plaza del mercado de Sevilla; pero la linda infanta que apoyada en el respaldo los miraba a hurtadillas por encima de su abanico con sus grandes ojos azules, los encantó; y comprendieron que una criatura tan encantadora no podía ser nunca cruel con nadie. Continuaron, pues, tocando muy dulcemente, rozando apenas las cuerdas de las cítaras con sus largas uñas puntiagudas, inclinando sobre el pecho sus cabezas como si estuvieran a punto de dormirse. De repente, con un grito tan agudo que todos los niños se sobrecogieron, y la mano de don Pedro se agarró al pomo de ágata de su daga, se pusieron en pie y dieron vueltas locamente alrededor del recinto, golpeando sus tamboriles, entonando un canto salvaje de amor en su extraño y gutural lenguaje. Luego, a otra señal, se tiraron todos de nuevo a tierra y permanecieron allí inmóviles por completo mientras el rasgueo sordo de las cítaras era el único sonido que rompía el silencio. Después de hacer eso varias veces, desaparecieron por un momento y reaparecieron conduciendo a un peludo oso pardo con una cadena y llevando a hombros unos cuantos monos pequeños de Berbería. El oso se puso de cabeza con la mayor gravedad, y los monos apocados juguetearon mansamente en divertidas travesuras con los chicos gitanos que parecían ser sus amos; pelearon con pequeñas espadas y dispararon cañones como si fueran soldados regulares de la propia guardia del rey haciendo ejercicios. Realmente, los gitanos tuvieron un gran éxito.

Pero la parte cómica de la fiesta mañanera fue indudablemente la danza del Enanito. Cuando apareció en el ruedo balanceándose sobre sus piernas torcidas y meneando su enorme cabeza deforme de un lado para otro, los niños lanzaron ruidosas exclamaciones de alegría y la infanta misma rió de tal modo, que la camarera se vio obligada a recordarle que si había muchos precedentes en España de que una hija del rey hubiera llorado ante sus iguales, no había ninguno de que una princesa de sangre real se mostrase tan regocijada ante aquellos que eran inferiores a ella en nacimiento. El Enanito, sin embargo, era realmente irresistible, e incluso en la Corte

de España, señalada siempre por su culti-
vada pasión a lo horrible, no se había
visto nunca un pequeño monstruo tan fan-
tástico. Era, además, su primera aparición.
Lo habían descubierto el día antes, corriendo locamente por el bosque, dos nobles que iban de caza por uno de los
sitios más alejados del gran encinar que
circunda la ciudad, y lo habían conducido
con ellos a palacio, como una sorpresa
para la infanta; su padre, que era un pobre carbonero, se sintió satisfecho de que
le librasen de un niño tan feo e inútil.
Quizá lo más divertido era la completa
inconsciencia en que se hallaba de su propio aspecto grotesco. Parecía en realidad
completamente feliz y encantado de su alta
valía. Cuando los niños reían, él reía tan
franca y alegremente como cualquiera de
ellos, y al final de cada danza les hacía las
más cómicas reverencias, sonriendo y mo-

viendo la cabeza como si fuera realmente uno de ellos y no un pequeño ser desdichado hecho por la Naturaleza en algún momento humorístico para burla de los demás. En cuanto a la infanta, le tenía completamente fascinado. No podía apartar los ojos de ella y parecía bailar para ella solamente, y cuando al terminar su danza, recordando haber visto a las grandes damas de la Corte arrojar ramos a Caffarelli, el famoso tenor italiano que el Papa había enviado de su propia capilla a Madrid para intentar curar la melancolía del rey con la dulzura de su voz, arrancó ella de sus cabellos la bella rosa blanca y la arrojó en parte por burla y en parte por molestar a la camarera, al ruedo, con su más dulce sonrisa; el Enanito, tomándolo completamente en serio y apretando la flor con sus rudos y ásperos labios, puso la mano sobre su corazón y dobló una rodilla ante ella haciendo muecas de oreja a oreja, con sus ojillos brillantes de placer.

Esto trastornó la gravedad de la infanta, que, sin poder contener la risa mucho después que el Enanito hubiera abandonado el ruedo, expresó a su tío el deseo de que repitiera inmediatamente la danza. Sin embargo, la camarera, pretextando que el sol era demasiado abrasador, decidió que sería preferible que su alteza regresara sin demora a Palacio, donde se le había preparado una maravillosa fiesta e incluso un soberbio pastel de cumpleaños con sus propias iniciales en azúcar de colores y una linda bandera de plata, tremolando, en el remate. La infanta, conforme con ello, se levantó con mucha dignidad y habiendo dado órdenes de que el Enanito danzara de nuevo para ella después de la hora de la siesta, expresó su gratitud al joven conde de Tierra-Nueva por su en-

cantadora recepción y se retiró a sus habitaciones, seguida de los niños, por el mismo orden en que habían entrado.

Entonces, cuando el Enanito oyó que
iba a bailar por segunda vez ante la infanta y por orden expresa de ella, se sintió
tan orgulloso, que corrió por el jardín, besando la rosa blanca en un absurdo arre-
bato de placer y haciendo los más grotescos y desmañados gestos de deleite.

Las flores se indignaron por completo
con aquella intrusión tan atrevida en su bella
casa, y cuando le vieron hacer cabriolas por
los paseos y agitar sus brazos sobre la cabeza con tan ridículas maneras, no pudieron
contener por más tiempo sus sentimientos.

—Es realmente demasiado feo para per-
mitirse jugar donde estemos nosotros
—gritaron los tulipanes.

—¡Si bebiera jugo de adormideras y se
durmiese durante mil años! —dijeron los

grandes lirios escarlata, y se pusieron completamente rojos de cólera.

—¡Es un perfecto horror! —aullaron los cactos—. Sí, es retorcido y rechoncho, y su cabeza no guarda proporción alguna con sus piernas. Realmente me hace sentirme más espinoso que nunca, y cuando se acerque a mí le pincharé con mis aguijones.

—En verdad lleva una de mis mejores flores —exclamó el rosal blanco—. Yo mismo se la di a la infanta esta mañana, como regalo de cumpleaños, y él se la ha robado.

Y empezó a gritar:

—¡Ladrón, ladrón, ladrón! —con su voz más fuerte.

Hasta los geranios rojos, que no acostumbraban darse tono y eran conocidos por sus numerosas relaciones humildes, se rizaron de asco al verle, y cuando las violetas notaron mansamente que si él era, en verdad, extraordinariamente basto, no tenía la culpa de ello ni podía remediarlo, replicaron con mucha justicia que éste era su principal defecto y que el ser éste incurable, no era razón para asombrar a nadie, y, realmente, algunas violetas pensaron que la fealdad del Enanito era casi jactancia y que hubiera demostrado mucho mejor gusto adoptando un aire triste o al menos pensativo, en lugar de brincar alegremente y hacer ademanes tan grotescos y necios.

En cuanto al viejo reloj de sol, que era una personalidad extraordinariamente notable y que antiguamente marcó las horas nada menos que de una persona como el emperador Carlos V, estaba tan asombrado ante el aspecto del Enanito que casi se olvidó de marcar dos minutos enteros en su largo dedo de sombra y no pudo por menos que decir al gran pavo real blanquilechoso que estaba tomando el sol en la balaustrada, que todos sabían que los hijos de los reyes eran reyes, y que los hijos de los carboneros eran carboneros, y que era absurdo pretender lo contrario, afirmación que fue de la completa conformidad del pavo real, quien, en efecto, chilló: "Ciertamente, ciertamente", con tan fuerte y áspera voz, que los peces dorados que vivían en el tazón del frío y rumoroso surtidor sacaron sus cabezas fuera del agua y preguntaron qué ocurría a los enormes tritones de piedra.

Pero, en cambio, los pájaros le querían. Le habían visto con frecuencia en la selva danzando como un elfo tras las hojas remolineantes o acurrucado en el hueco de alguna añosa encina compartiendo sus nueces con las ardillas. Y no les importaba un ardite su fealdad. Pues hasta el ruiseñor que canta tan dulcemente en los bosquecillos de naranjos, de tal modo que la luna se inclina a menudo para escucharle, no es muy hermoso a la vista, después de todo; y, además, él había sido muy bueno con ellos, y durante aquel terrible y penoso invierno cuando no había frutos en los árboles y la tierra estaba dura como hierro, y los lobos habían llegado hasta las propias puertas de la ciudad en busca de alimento, él nunca los olvidó y siempre les dio migas de su pequeño mendrugo de pan negro y repartió con ellos, fuera el que fuese, su pobre almuerzo.

Vinieron, pues, a volar a su alrededor, rozándole las mejillas con sus alas al pasar, y charlando unos con otros; y tan complacido estaba el Enanito que no pudo menos que mostrarles la bella rosa blanca, y decirles que se la había dado la propia infanta porque lo amaba.

Los pájaros no comprendieron una sola palabra de lo que les decía, pero esto no importaba, pues moviendo sus cabezas a un lado y otro lo miraban sabiamente, lo cual está tan bien como comprender una cosa y es mucho más fácil.

Los lagartos sentían asimismo una inmensa simpatía por él, y cuando se cansó de correr por todos lados y se tumbó sobre la hierba a descansar, juguetearon e hicieron travesuras a su alrededor, intentando divertirse lo mejor que pudieron.

—¡No todo el mundo puede ser tan hermoso como un lagarto! —exclamaron—: sería mucho esperar. Y, aunque parezca absurdo decirlo, no es tan feo, realmente, después de todo, con tal, desde luego, de cerrar los ojos y no mirarlo.

Los lagartos son extraordinariamente filósofos por naturaleza y con frecuencia se pasan inmóviles horas y horas sin interrupción, cuando no tienen otra cosa que hacer o cuando llueve demasiado para salir.

Las flores, sin embargo, se sintieron excesivamente molestas por el proceder de los lagartos y por el de los pájaros.

—Esto demuestra únicamente —decían ellas— que produce un efecto vulgarísimo ese incesante correr y revolotear sin objeto. La gente de alcurnia siempre está exactamente en el mismo sitio, como nosotras. Nadie nos habrá visto corretear por los paseos, o galopar locamente por el césped detrás de los caballitos del diablo. Cuando necesitamos cambiar de aire, mandamos venir al jardinero y él nos traslada a otro macizo. Esto es digno y así debiera ser. Pero los pájaros y los lagartos no tienen idea del reposo, y realmente los pájaros no poseen incluso ni domicilio fijo. Son simples vagabundos como los gitanos, y deben ser tratados exactamente de la misma manera.

E irguiendo sus narices en el aire y con un aspecto muy altivo, se pusieron contentísimas cuando después de un rato vieron al Enanito levantarse de la hierba y cruzar la terraza hacia el Palacio.

—Deberían realmente encerrarle en casa para el resto de su vida normal —dijeron—. Mirad su joroba y sus piernas torcidas —y empezaron a reír entre dientes.

Pero el Enanito no oyó nada de todo esto. Gustábanle enormemente los pájaros y los lagartos y pensaba que las flores eran las cosas más maravillosas del mundo entero, exceptuando, naturalmente, a la infanta, pues ella le había dado la hermosa rosa blanca y lo amaba; y esto representaba una gran deferencia. ¡Cómo deseaba verse de nuevo con ella! La haría sentarse a su derecha, le sonreiría y ya no se apartaría nunca de su lado, sería su compañero de juegos y le enseñaría toda clase de tretas deliciosas. Porque, a pesar de no haber estado antes en un palacio, sabía él

muchas cosas maravillosas. Sabía hacer jau-
litas de junco para que cantaran dentro de
ellas los saltamontes y las cañas nudosas
de bambú las convertía en la flauta que
Pan gusta tanto de oír. Sabía también el
grito de cada pájaro y podía llamar a los
estorninos desde las copas de los árboles
o a la garza real de la laguna. Conocía el
rastro de cada animal, y podía seguir la
pista de la liebre por sus delicadas huellas
y la del jabalí por las hojas pisoteadas.
Conocía todas las danzas salvajes, la danza
loca con roja vestidura del otoño, la danza
leve con sandalias azules sobre los triga-
les, la danza con blancas guirnaldas de
nieve en el invierno, y la danza de las
flores a través de los huertos, en primavera. Sabía dónde tenían sus nidos las palomas torcazas, y una vez que un cazador
apresó a los pájaros padres, él crió a los
polluelos, construyéndoles un pequeño pa-

lomar en el hueco de un olmo desmochado. Los domesticó tan por completo, que todas las mañanas venían a comer en sus manos. Ella también los amaría, así como a los conejos que se escurren por los grandes helechos, y a los grajos con su plumaje de acero y sus negros picos, y a los erizos que pueden convertirse en una bola de espinas, y a las grandes y juiciosas tortugas que se arrastran pausadamente alrededor, moviendo sus cabezas y royendo las hojas tempranas. Sí, ella iría, ciertamente, a la selva y jugaría con él. Le daría su propia camita y vigilaría al pie de la ventana hasta que amaneciese para que las reses bravas no le hiciesen daño ni los lobos hambrientos pudieran acercarse a la choza. Y al amanecer daría unos golpecitos, y la despertaría, y se pasarían todo el día bailando juntos. Realmente la selva no está nada solitaria. A veces pasaba un obispo sobre su blanca mula leyendo en un libro ilustrado. A veces eran los halcone-ros, con sus gorros de terciopelo verde y sus justillos de gamuza, los que pasaban por allí con sus halcones encapirotados sobre sus muñecas. Y al llegar la época de la vendimia, venían los lagareros, de manos y pies purpúreos, coronados de lustrosa hiedra, transportando odres que goteaban vino; y los carboneros se sentaban por la noche alrededor de sus enormes hogueras, observando cómo los secos leños se convertían en carbón lentamente en el fuego, y asando castañas entre las cenizas, y los bandidos salían de sus cuevas y se divertían con ellos. Una vez incluso había visto él una magnífica procesión caminando por la larga y polvorienta carretera hacia Toledo.

Al frente iban los monjes cantando suavemente y blandiendo estandartes brillantes y cruces de oro, y luego, con armaduras plateadas con arcabuces y picas, venían los soldados y en medio de ellos caminaban tres hombres descalzos, con extrañas vestiduras amarillas, pintadas por completo con figuras prodigiosas, llevando cirios encendidos en sus manos. Realmente era mucho lo que había que ver en la selva, y cuando ella estuviera cansada, él buscaría un blando asiento de musgo o la transportaría en sus brazos, pues era muy fuerte, aun no siendo de gran talla. Haría para ella un collar de bayas rojas de brionia, que sería tan lindo como las bayas blancas que llevaba en su vestido, y cuando se cansara de ellas podría tirarlas y él buscaría otras. Le regalaría copas de bellota, y anemones empapados de rocío, y luciérnagas menudas que serían como estrellas en el oro pálido de su cabellera.

—Pero ¿dónde estaba ella? —preguntó a la rosa blanca, y no obtuvo respuesta.

El Palacio entero parecía dormir, y hasta tras las persianas que no habían sido cerradas, pesados cortinones colgaban sobre las ventanas para no dejar entrar la luz. Vagó alrededor, buscando algún sitio por donde entrar, y al final encontró una puertecilla secreta que había quedado abierta. Se introdujo furtivamente por ella, encontrándose en un espléndido vestíbulo, más espléndido, pensó, que la selva; por todas partes era mucho más dorado, y hasta el piso estaba hecho de grandes losas de colores ajustadas en una especie de modelo geométrico. Pero la infantina no estaba allí, y únicamente había unas maravillosas estatuas blancas que le contemplaban desde lo alto de sus pedestales de jaspe con tristes ojos inanimados y sonriendo extrañamente sus labios.

Al final del vestíbulo colgaba una cortina de terciopelo negro ricamente recamada, como sembrada de soles y estrellas, la divisa favorita del rey, bordada sobre el color que aquél prefería. ¿Estaría ella quizá escondida detrás? Intentaría verlo de todos modos.

Avanzó calladamente y la descorrió. No; había únicamente otra estancia, más hermosa, pensó, que la contigua. Los muros estaban cubiertos con un tapiz de Arras, profusamente adornado en verde, representando una cacería, obra de unos artistas flamencos que habían tardado en su confección más de siete años. Había sido en otro tiempo la cámara de *Jean le Fou*,[5] como llamaban a aquel rey demente, tan enamorado de la caza que con frecuencia

---

[5] Juan el Loco.

en su delirio había intentado montar en los enormes caballos encabritados y derribar al ciervo acosado por los grandes podencos saltarines, tocando su cuerno de caza y apuñalando con su daga al tímido y veloz venado. Ahora se utilizaba como sala de Consejo, y sobre la mesa del centro descansaban las rojas carteras de los ministros estampadas con los dorados tulipanes de España y con las armas y emblemas de la Casa de Habsburgo.

El Enanito miró asombrado a su alrededor sin casi atreverse a seguir. Los extraños y silenciosos jinetes que galopaban tan velozmente por los amplios claros sin hacer ningún ruido parecíanle aquellos terribles fantasmas de que había oído hablar a los carboneros —los *comprachos*—, que cazan únicamente de noche, y si encuentran a un hombre lo convierten en ciervo y le dan caza. Pero pensó en la linda infanta y recobró su valor. Necesitaba encontrarse a solas con ella y decirle que él también la amaba. Quizá estuviera en la estancia contigua.

Cruzó corriendo por los mullidos tapices moriscos y abrió la puerta. ¡No! Tampoco estaba allí. La estancia estaba completamente vacía.

Era el salón del trono, utilizado para la recepción de los embajadores extranjeros, cuando el rey, cosa que no era frecuente desde hacía tiempo, accedía a concederles audiencia personal; el mismo salón en el cual muchos años antes fueron recibidos los enviados de Inglaterra para tratar del casamiento de su reina, una de las soberanas católicas de Europa, con el primogénito del emperador. Los cortinajes eran de cuero dorado de Córdoba, y una pesada araña, también dorada, con brazos para trescientas luces, colgaba del techo blanco y negro. Debajo de un gran dosel de paño de oro, sobre el que estaban bordados en aljófar los leones y las torres de Castilla, levantábase el trono mismo, cubierto con una rica tela de terciopelo negro sembrado de tulipanes de plata y orlado primorosamente de plata y perlas. Sobre la segunda grada del trono estaba colocado el reclinatario de la infanta con su almohadón de tejido de plata, y más abajo, fuera del dosel, alzábase el sillón del nuncio de Su Santidad, que era el único que tenía derecho a estar sentado en presencia del rey, en ocasión de cualquier ceremonia pública, y cuyo capelo cardenalicio, con sus borlas escarlatas enracimadas, descansaba sobre un taburete de púrpura que había enfrente. Sobre el muro, ante el trono, pendía un retrato en tamaño natural de Carlos V, en traje de caza, con un gran mastín a su lado, y un cuadro de Felipe II recibiendo el homenaje de los Países Bajos ocupaba el centro del otro muro. Entre las ventanas había un bargueño de ébano, con láminas incrustadas de marfil, sobre las que estaban grabadas las figura de la *Danza de la muerte,* de Holbein, por la propia mano del famoso maestro, según decían. Pero al Enanito no le importaba nada toda aquella magnificencia. No hubiera dado su rosa por todas las perlas del dosel, ni un solo pétalo de su rosa por el trono mismo. Lo que deseaba era ver a la infanta antes de que bajase al pabellón y pedirle que se fuera con él cuando hubiese terminado su danza. Aquí, en el Palacio, el aire era sofocante y pesado; pero en la selva el viento soplaba libremente y los rayos del sol apartaban con sus manos errantes y doradas las trémulas hojas. También había flores en la selva, no tan espléndidas quizá como las flores del jardín, pero de más dulce aroma, en cambio; jacintos tempranos que inundaban con su púrpura oscilante los frescos vallecillos y las herbosas lomas; amarillas velloritas que se apiñaban en pequeños grupos alrededor de las raíces retorcidas de los robles; brillantes celidonias y azules verónicas, y lirios lila y oro. Había grises amentos sobre los avellanos y las dedaleras se doblaban con el peso de sus cálices moteados que frecuentaban las abejas. El castaño tenía espirales de estrellas blancas y el espino sus pálidos lunares. Sí; seguramente le seguiría ¡con sólo que lograse encontrarla! Le acompañaría a la hermosa selva, y se pasaría el día entero bailando para deleite de ella. Una sonrisa iluminó sus ojos y penetró en la estancia contigua.

De todas las habitaciones, ésta era la más resplandeciente y hermosa. Los muros estaban cubiertos con un rameado damasco de Lucca, sembrado de pájaros y moteado de exquisitas flores de plata; los muebles eran de plata maciza, festoneados con floridas guirnaldas y oscilantes cupidos; frente a las dos anchas chimeneas levantábanse grandes pantallas bordadas con pavos reales y papagayos, y el suelo, que era de ónice verde mar, parecía extenderse hacia la lejanía. No estaba solo. En la sombra de la puerta, al fondo de la estancia, erguíase una figurilla contemplándole. Le tembló el corazón, un grito de alegría salió de sus labios y avanzó hacia la luz. Entonces la figura avanzó también y pudo verla claramente.

¡La infanta! Era un monstruo, el más grotesco monstruo que había visto nunca. No era proporcionado como todo el mundo, sino jorobado y patizambo, con una enorme cabeza colgante y una melena negra. El Enano frunció el ceño y el monstruo lo frunció también. Se echó a reír y rió con él; dejó caer las manos a los costados y el monstruo hizo lo mismo. Le hizo una reverencia burlesca y él le devolvió la misma reverencia. Avanzó hacia él y vino a su encuentro copiando cada paso que daba y parándose cuando se paraba. Gritó divertido, corrió hacia él tendiéndole la mano, y la mano del monstruo tocó la suya; y estaba fría como hielo. Sintió miedo, retiró su mano, y la mano del monstruo le imitó con presteza. Intentó avanzar, pero algo liso y duro lo detuvo. La cara del monstruo estaba ahora muy cerca de la suya y parecía llena de terror. Apartó el pelo de sus ojos. El monstruo lo imitó. Lo golpeó, y aquél le devolvió golpe por golpe. Gesticuló con aversión, y el monstruo le hizo muecas horrorosas. Retrocedió, y aquél retrocedió también.

¿Qué era aquello? Pensó un momento y miró a su alrededor detenidamente la habitación. Era extraño; pero todo parecía tener su doble en aquel muro invisible de agua clara. Sí, cuadro por cuadro y asiento por asiento, todo estaba repetido. El fauno dormido que yacía en la alcoba junto a la puerta tenía su hermano gemelo que dormitaba también, y la Venus de plata que se erguía en los rayos de sol tendía sus brazos a otra Venus tan encantadora como ella.

¿Era el Eco? Una vez lo había llamado en el valle, y el Eco le contestó palabra por palabra. ¿Podría burlar la mirada como burlaba la voz? ¿Podría crear un mundo mímico igual al mundo real? ¿Podrían las sombras de las cosas tener color y vida y movimiento? ¿Podría ser que...?

Se estremeció, y arrancando de su pecho la bella rosa blanca, se volvió y la besó. ¡El monstruo tenía una rosa también, idéntica a la suya pétalo por pétalo! La besaba con los mismos besos y la apretaba contra su corazón haciendo horribles muecas.

Cuando al fin, despuntó en él la verdad, lanzó un grito salvaje de desesperación y cayó al suelo sollozando. ¡Conque era él aquel ser desgraciado y giboso, de aspecto vil y grotesco! Él mismo era el monstruo y de él era de quien se habían reído todos los niños y la princesita en cuyo amor creyó... Ella también se había burlado solamente de su fealdad, divirtiéndose con sus piernas torcidas. ¿Por qué no lo habían dejado en la selva, donde no había tenido espejo que le revelara lo repugnante que era? ¿Por qué no lo había matado su padre antes que venderlo para afrenta suya? Abrasadoras lágrimas se deslizaron por sus mejillas y destrozó la rosa blanca. El monstruo tendido hizo lo mismo y esparció en el aire los tenues pétalos. Se arrastró por el suelo, sin mirarle, tapándose los ojos con las manos. Se deslizó como una cosa herida hacia la sombra yacente allí gimiendo.

Y en aquel momento entró la propia infanta con sus compañeros por la abierta ventana, y cuando vieron al feísimo Enanito tendido sobre el suelo y golpeando el pavimento con los puños cerrados, de la manera más fantástica y exagerada, lanzaron ellos alegres carcajadas y lo rodearon, observándole.

—Sus danzas eran divertidas —dijo la infanta—; pero su manera de representar es más graciosa aún. Verdaderamente trabaja casi tan bien como los polichinelas; únicamente, eso sí, no es tan perfectamente natural.

Y agitó su gran abanico y aplaudió.

Pero el Enanito seguía sin alzar la vista y sus sollozos fueron haciéndose cada vez más débiles; y de repente lanzó un extraño estertor y se oprimió el costado. Y luego cayó boca arriba y permaneció completamente inmóvil.

—¡Esto es magnífico! —dijo la infanta, después de una pausa—; pero ahora tienes que bailar para mí.

—Sí —gritaron todos los niños—, tienes que levantarte y bailar, para eso eres tan listo como los monos de Berbería y mucho más ridículo.

Pero el Enanito no contestó.

Y la infanta golpeó el suelo con el pie, y llamó a su tío, que estaba paseando por la terraza con el chambelán, leyendo unos despachos que acababan de llegar de México, donde había sido establecido recientemente el Santo Oficio.

—Mi gracioso Enanito está malhumorado —exclamó ella—; levantadle y decidle que baile para mí.

Se sonrieron uno a otro y entraron pausadamente; don Pedro se inclinó y dio una palmadita sobre la mejilla del Enanito con su guante bordado.

—Tienes que bailar —dijo—, *petit monstre*.[6] Tienes que bailar. La infanta de España y de las Indias quiere divertirse.

Pero el Enanito siguió sin moverse.

—Habrá que traer al encargado de los azotes —dijo don Pedro, enfadado; y volvió a la terraza. Pero el chambelán tuvo una mirada grave, y arrodillándose junto al Enanito le puso su mano sobre el corazón. Y después de unos momentos se encogió de hombros, y levantándose hizo una gran reverencia a la infantita y dijo:

—Mi bella princesa, vuestro gracioso Enanito no volverá nunca a bailar. Es una lástima, porque era tan feo, que hubiera podido hacer sonreír al rey.

---

[6] Pequeño monstruo.

—¿Por qué no volverá a bailar? —preguntó la infanta riendo.

—Porque su corazón se ha quebrado —contestó el chambelán.

Y la infanta frunció el ceño y sus delicados labios como pétalos de rosa se torcieron con lindo desdén.

—De aquí en adelante, que los que vengan a jugar conmigo no tengan corazón —exclamó; y corrió hacia el jardín.

CONVERSEMOS SOBRE *EL GIGANTE EGOÍSTA Y OTROS CUENTOS*

El gigante egoísta

I. Expresión personal

1. Observa atentamente la portada del libro y aclara:
    a) ¿Qué personajes son?
    b) ¿Cuál es la estación del año?
    c) ¿A qué situación corresponde?
2. Completa el siguiente texto, escribiendo la palabra que falta en cada espacio:
    "Un día volvió el _____. Había ido a visitar a su _____ el ogro de _____ y vivido _____ años con él. Al final de los _____ años, dijo todo lo que tenía que decir, pues su conversación era _____ , y decidió _____ a su _____.
3. ¿Cómo evitó el gigante que los niños entraran a su jardín?
4. ¿Por qué la primavera y el otoño no llegaron al jardín del gigante?
5. ¿Cómo y por qué vuelve la primavera al jardín del gigante?
6. ¿Quién era realmente el niño pequeño al cual el gigante ayudó a subir al árbol?
7. Si el gigante era tan egoísta, ¿por qué ese Niño fue a su jardín?

8. Dibuja el momento en que vuelven a encontrarse el Niño y el gigante bajo el árbol de flores blancas y ramas doradas. Indica también lo que dice cada personaje.

9. ¿Qué fue lo que hizo desaparecer el egoísmo del gigante y cuál fue la recompensa que recibió?

10. Señala en qué momentos del cuento aparecen juntos estos elementos:

    a) Flores y niños _____

    b) El hielo y la nieve _____

    c) El muro y el hacha _____

11. Si tuvieras un hermoso jardín, ¿qué letrero pondrías a la entrada? Escríbelo en un cartel.

12. Si el egoísmo es como un muro que nos aparta de los demás, ¿cuál es la brecha que puede romper ese muro?

II. Aumenta tu vocabulario

1. Reemplaza la palabra destacada por un sinónimo:

    a) Era un *amplio* y hermoso jardín, con un suave y verde césped.

    b) ¡Qué *dichosos* somos aquí!

    c) No *permitiré* que nadie más que yo juegue en él.

    d) Los pájaros desde que no había niños no tenían *interés* en cantar, y los árboles *olvidábanse* de florecer.

2. Averigua en el diccionario el significado de estas palabras y dibújalas:

    techumbre - lecho - brecha - aterrorizado

El fantasma de Canterville

I. En esta entretenida historia, Oscar Wilde logra mezclar hechos reales y fantásticos con notable acierto.

1. Indica tres hechos que podrían ser reales y tres fantásticos.

2. A tu juicio, cuáles son los momentos:
   a) Más humorístico _____
   b) Más triste _____
   c) Más sentimental _____

3. La familia Otis representa el espíritu norteamericano y los Canterville a la aristocracia inglesa. Según esto, ¿qué cualidades y defectos aparecen atribuidos a cada país?

4. ¿Qué enseñanzas podemos sacar a través de estos personajes?
   a) Virginia _____
   b) Míster Otis _____
   c) El duque Cecil _____
   d) Sir Simon de Canterville _____

II. Ordena cronológicamente estas acciones, escribiendo en la linea el número correspondiente:

a) _____ Matrimonio de Virginia y el duque Cecil de Cheshire.

b) _____ El señor Otis le ofrece al fantasma un frasco de lubricante Sol Naciente para que se engrase las cadenas.

c) _____ Washington Otis hace desaparecer la mancha de sangre del piso usando el quitamanchas Campeón.

d) _____ Muerte definitiva de Sir Simon.

e) _____ Asesinato de lady Leonor de Canterville, crimen perpetrado por su propio marido.

f) _____ La señora Umney, el ama de llaves del castillo, le dio la bienvenida a la familia Otis.

g) _____ Encuentro de Virginia y el fantasma.

III. Indica si estas afirmaciones son verdaderas o falsas, colocando V o F en la línea inicial:

1. _____ El fantasma de Canterville llevaba trescientos años sin dormir.

2. _____ El fantasma vuelve a manchar de rojo el suelo, usando sangre de su difunta esposa.

3. _____ Virginia se compadece del fantasma y lo ayuda para que pueda descansar en el Jardín de la Muerte.

4. _____ Cuando muere el fantasma, el almendro seco floreció, indicando que Dios había perdonado al pecador.

5. _____ Míster Otis insistió en devolverle las joyas de sir Simon a lord Canterville, porque no aceptaba para su hija ese tipo de lujos.

6. _____ Virginia mantuvo en estricto secreto lo que sucedió entre ella y el fantasma de sir Simon.

7. _____ La boda entre su hija Virginia y un noble inglés fue un gran disgusto para la familia Otis.

8. _____ Este cuento presenta situaciones misteriosas, fantásticas y humorísticas.

9. _____ Sir Simon fue duramente castigado por el crimen cometido contra su esposa.

IV. Expresión personal

1. ¿Crees en la existencia de fantasmas? ¿Por qué?

2. Según la historia, sir Simon no soportó a su esposa porque:
   "Mi mujer era inaguantable; no almidonaba nunca lo suficiente mis golas y no sabía una palabra de cocina..."

Y decidió eliminarla. ¿Crees tú que pudo solucionar sus diferencias de otra manera? ¿Cómo?

V. Aumenta tu vocabulario

1. Une cada palabra con su sinónimo, escribiendo en la segunda columna el número de la primera.

1. espantoso	a) _____	extraordinario
2. necedad	b) _____	funeral
3. embrujada	c) _____	enfermedad
4. deber	d) _____	sandez
5. dolencia	e) _____	hechizada
6. sepelio	f) _____	yegua
7. excepcional	g) _____	terrible
8. pulcramente	h) _____	obligación
9. jaca	i) _____	impecablemente

Escribe de nuevo este pasaje, reemplazando la palabra en negrita por un sinónimo:
"El día había sido de verdadero **bochorno** y la familia **aprovechó** la frescura de la tarde para **dar** un paseo en coche. **Regresaron** a las nueve, tomando una **ligera** cena.

El cumpleaños de la infanta

I. Comprensión de lectura

1. ¿Cómo celebraba la infanta su cumpleaños?
2. ¿Cuál era la causa de la tristeza y melancolía del rey?
3. ¿Por qué motivos las flores se indignaron con el enanito?

4. ¿Con qué acciones importantes se relacionan estos elementos?:
   a) Guantes envenenados
   b) Rosa blanca
   c) Espejo
5. ¿En qué personajes se aprecian estos rasgos?:
   a) Belleza y frivolidad
   b) Fealdad y dolor
   c) Soledad y temor
6. ¿Cómo y cuándo descubre el Enanito su fealdad y qué consecuencia le provoca esto?
7. ¿Cómo reacciona la infanta al enterarse de la muerte del Enano?

II. Expresión personal

1. Basándote en este cuento, explica el refrán: "Las apariencias engañan".
2. Compara a la infanta y el Enano; ¿de cuál te gustaría ser amigo? ¿Por qué?
3. Inventa un final feliz para este cuento.

III . Aumenta tu vocabulario

Completa este trozo, usando adecuadamente estas palabras:
Patizambo - frunció - melena - monstruo - jorobado - grotesco - proporcionado

"Era un _____, el más _____ monstruo que había visto nunca. No era _____ como todo el mundo, sino _____ y _____, con una enorme cabeza colgante y una _____ negra. El Enano _____ el ceño y el monstruo lo _____ también..."

Averigua el significado de estas palabras y haz una oración con cada una de ellas:

Chambelán, estertor, enfadado, afrenta, polichinela.

SOLUCIONES

El fantasma de Canterville

II. Orden cronológico

a. 7   c. 3   e. 1   g. 5
b. 4   d. 6   f. 2

III. Verdadero - Falso

1. V   4. V   7. F
2. F   5. F   8. V
3. V   6. V   9. V

V. Sinónimos

a. 7   c. 5   e. 3   g. 1   i. 9
b. 6   d. 2   f. 10   h. 4

ÍNDICE